国家社会主義とは何か

「街頭新聞」の思想を読む

杉本　延博

展転社

推薦の辞

京都産業大学名誉教授　ロマノ・ヴルピッタ

志ある史家は、過去の出来事を述べるだけにとどまらず、それを生きたものとして現在の実情に位置づける。杉本延博氏は厳密には史家ではないかもしれないが、彼には過去の経験を今日に生かすという強い志が感じられる。まさに温故知新の心である。読後にまず私が感じたのが、このことであった。そして、このことだけでも一読に値する書である。

しかし、これだけではなく、本書はいくつかの観点から重要な力作である。御所《ごせ》市の市会議員である杉本氏は、同郷の大先輩・西光万吉が主宰した「街頭新聞」の文書を丁寧かつするどい分析を通じて、昭和初期の日本における国家社会主義運動、大日本国家社会党の思想を紹介する。それをもって、西光万吉研究の空白期間を埋めるという大きな成果を挙げている。実際、西光は水平社の発起人の一人として知られているし、戦後は反戦思想家としても紹介されているが、昭和初期の彼の活動は黙殺される傾向がある。

例えば、県下で活動した有名人を紹介する和歌山県のホームページ「ふるさとアーカイブ」では、彼について以下のように述べられている。

明治28年（1895）～昭和45年（1970）
紀の川市在住
全国水平社宣言を起草「人の世に熱あれ　人間に光あれ」

明治28年（1895）、奈良県南葛城郡掖上村（現：御所市）の浄土真宗西光寺に生まれる。本名は清原一隆。奈良県立畝傍中学校（現：奈良県立畝傍高校）、京都の平安中学校（現：平安高校）に学んだが、差別を受けたことが原因で両校を退学。上京して画家を志すが、被差別部落出身であることが知られるのを恐れて画塾を辞めるなど、青年期の万吉には差別が暗い影を落としていた。

大正9年（1920）、幼なじみの阪本清一郎や駒井喜作らとともに「燕会」を結成、消費組合活動や社会問題研究に取り組む。大正10年（1921）雑誌『解放』に掲載された佐野学の論文『特殊部落解放論』に感銘を受け、部落の改善、解放に取り組む被差別部落大衆自身の自主的運動の必要性を強く意識し、燕会のメンバーらと水平社創立事務所を設け、創立趣意書を全国に発信。大正11年（1922）、万吉らが中心となり全国水平社が創立された。万吉は水平社の団体旗『荊冠旗』をデザインし、創立宣言を起草。「人の世に熱あれ、人間に光りあれ」と結ばれた有名なこの宣言は、人間を尊敬することにより、人の世に光明をもたらそうとする願いがこめられている。

水平社の活動は瞬く間に全国に広がり、和歌山県でも大正12年（1923）5月、和歌山県水平社が創立された。和歌山市公会堂で行われた創立大会には２０００人の参加者が集まり、万吉も熱弁を奮っている。

昭和16年（１９４１）に、妻の郷里である那賀郡田中村（現：紀の川市）に移住。戦後は、人類の平和共存を求める「和栄政策」の思想を掲げ、平和運動に生涯を捧げた。

人間の尊厳を訴えた西光万吉は、昭和45年（１９７０）、74歳で亡くなった。紀の川市の住居跡には、「不戦和栄の碑」が建てられている。

この記述はいわゆる「ポリティカル・コレクトネス」の傑作と言えるだろう。人権運動家・平和主義者という西光の称賛すべき無難な像が描かれている。しかし、この伝記には一九二三年から一九四一年にわたる長い間の空白期間がある。この空白期間は西光の波乱の時期であった。彼は一九二四年に日本農民組合に参加し、その常任理事となる。一九二六年に労働農民党に参加して中央委員となり、同年日本共産党に入党し幹部になり、一九二八年に三・一五事件で検挙され懲役五年の判決を受けた。服務中に国粋主義に転向し、解放後は大日本国家社会党に参加し、皇国農民同盟を創立し、一九三七年に橋本欣五郎の大日本青年党に接近して部落意識を解消する目的で「新生運動」を起こした。そして一九三九年に奈良県会議員に当選した。

本書は、黙殺された国家社会主義者・西光の思想を紹介する観点で貴重なのである。

日本の国家社会主義についても研究は少ない。高畠素之の弟子・津久井竜雄が指摘するように、「国家社会主義」という言葉は昭和維新運動の中あまり歓迎されていなかったが、その運動に少なからぬ影響を与えたのである。しかし、例えば高畠については研究が多いのに、政治運動としての国家社会主義についてはあまり語られていない。当時、その運動の中心的人物であった赤松克麿も、戦後に著した『日本社会運動史』であまりそこには触れていない。津久井の著書にさえ、運動については語っていても思想についてはあまり述べられていない。この実情を考えると、著者による西光の主張の分析は得難い資料である。

昭和初期の国家社会主義の盛期は一九三二年であった。満洲事変の関係で急速に展開された愛国心の台頭は、いわゆる無産政党・労働組合と農民団体を激しく振動させた。社会民衆党の書記長・赤松克麿をはじめ、左翼陣営から民族陣営への転向者が多く、大きな大衆運動の形成が期待された。しかし、国家社会主義の絶頂は、皮肉にも急な下り坂のはじまりでもあった。その一九三二年の五月二十九日に「国家社会主義新党」の結党式が行われるはずだったが、その日の午前中の準備会で意見が分かれ、当日に二つの政党、赤松の「日本国家社会党」と平凡社創立者・下中弥三郎の「新日本国民同盟」が結成されてしまった。両党の主張はほぼ同じであり、思想上の対立の問題ではなく、単なる個人的対立の結果であった。そして、両方の政党とも内部紛争の結果、ついに崩壊してしまった。新日本国民同盟の分裂から一九三四年三月に石川準十郎を党首とする「大日本国家社会党」が結成されたが、この政党も長く続かなかった。西光が参加したのはこの政党で、地元の掖上村の支部を設立し、機関紙として「街頭新聞」を発行した。

著者が触れていないことだが、著者はいわゆる「転向」の問題について反省する機会を与えている。長年に歴史研究界を支配した左翼思想の影響で、「転向」という言葉は悪い意味を帯びてきた。しかし、転向そのものは悪いことなのか。場合によって、転向は自然な思想的発展の帰結である。多分、ムッソリーニの場合がそうであった。あるいは、北一輝もそうであったかもしれない。また、場合によっては反省の結果の路線変更でもある。赤尾敏や林房雄はその例であるだろう。または、社会的環境の変化による路線の調整もある。この場合は特定の出来事がきっかけとなる。左翼から多くの転向を起こした満洲の問題は、典型的な例である。言うまでもなく、オポチュニストの転向もある。

さて、西光の場合はどうだろうか。著者による西光の思想の分析によれば、彼の信念はほとんど変わらなかったと私は考えている。ただし、彼は日本の国体、君民一如の思想に目覚めて、その枠組みの中に嵌め込んだのである。彼が提唱した「高次的タカマノハラ」の思想に、主に原始的な共産社会のモデルの実現を見たのである。なお、搾取・差別のない社会も彼のかねてからの主張であった。しかし、国家社会主義陣営の中でも、彼はとてもラジカルな位置に立っていた。彼の思想の特徴は、徹底的な「ローマ法的所有権」の否定であった。それを資本主義と個人主義の原点であると主張したのである。反資本主義と反個人主義とは、昭和維新運動の中で広く共有された思想ではあるが、西光の立場は極端であった。彼は、特定範囲の資産や土地の所有権を認める北一輝の構想を非難しただけではなく、スターリン時代の第二ソ連憲法が認めた個人の能力差に相応する報酬の原理も、差別に導くという観点から非難した。つまり、「ローマ法的所有権」を廃絶しない限り資本主義と搾取と差別は継続すると、執拗なほど主張し続けたのである。

そして、「ローマ法的所有権」に対して「日本的所有観念」を提唱した。権利ではなく、観念という言葉遣いは注目すべきである。西光はこの観念が「奉還」と「赤子」思想に基づくと説明するが、具体性に欠けている感じがする。たしかに、所有者の権利を全面的に保護するローマ法に比較すれば、日本の伝統的な所有の観念は曖昧であろう。農地について言えば、彼が提唱した「日本独特の耕作権」について納得できる。しかし、複雑な先進工業社会においては適用しにくい原理だろう。

高次的タカマノハラの社会とは、必要に応じて資産が分配される理想郷である。これはもとより社会主義の理念である。しかし、理念はあくまでも理念で、それをどのように実現できるのかは、いまだに解決されていない問題である。若き北一輝は、『国体論及び純正社会主義』において、この理想郷の実現が数千年・数万年先の人間の進化の終着点において、とりあえず、より現実的な中間的な措置を論じた。実際、共産国はプロレタリア独裁体制という中間的過程にとどまった。イタリアのマルクス主義の理論家・ポルディーガは、誰でも欲しいままに資産を利用できる、極めて豊富な社会を想定した。ソ連のフルシチョフも共産主義の実現は生産性の問題だと断言した。そうであれば、搾取を認めながらも、消費文化を提唱する資本主義体制こそ、この目標に近づいているのではないか。

しかし、大日本国家社会党の理想郷は、将来ではなく過去に求められ、神話の世界の「高天ケ原」であった。民族の源泉に戻るのは昭和維新運動の共通理念であった。しかし、それは単なる理想で、現実性が欠けている。西光は、具体的なモデルとして大化改新を挙げている。この発想には権藤成卿の影響があるだろうが、これもまた非歴史的である。班田制は西光が追求した同胞愛に基づいた社会から、ほど遠いものであった。むしろ、この同胞愛の理念に大正時代のトルストイ風のヒューマニズムの余韻を私は感じる。農業の世界に定着した西光は、橋川文三の言を借りれば「天皇制のアナーキー」を夢見たのではなかろうか。

さて、この力作が示唆する反省は多く、それぞれの読者の感性に任せる。私は、杉本氏のさらなる研究成果の刊行を期待している。

はじめに

『共産党宣言』冒頭の有名な文言は、「一個の亡霊がヨーロッパを徘徊している。共産主義という亡霊が」である。

ロシア革命でソ連が誕生して以来、世界各国で共産国家が誕生した。はたして共産国家は人民大衆に幸せと豊かさを与えたのだろうか？　残念ながら答えは否だ。共産主義がもたらしたものは、人類が求め続けた平和な理想郷ではなく、虐殺、強権、弾圧など、この世における地獄絵図でしかなかった。やがて平成元年（一九八九）からソ連、東欧諸国の崩壊が相次ぎ、一つのイデオロギー体制が終焉を迎えた。

一方、冷戦に勝利した資本主義は、人民大衆に幸せと豊かさを与えたのだろうか？

確かに、科学技術の進歩によって人間の生活上の利便性、功利性が向上して文明の恩恵を受けた。だがその反面、搾取、貧困、差別、疎外、自然破壊等々、人間や自然にとって大きすぎる問題が山積してしまったことも事実である。

一人ひとりの人間が満足して働き生きていけるだけの充実した完全な社会制度は地球上に存在しているのだろうか？　今のところはわからない。しかし、これだけは言える。権力は必ず腐敗する。未来永劫、続く制度なんてありえない。

やがて資本主義体制にも歪みが生じて、限界を迎えるときがくるだろう。いや、もう迎えているのかもしれない。

現在、コロナ禍によって価値観や生活感覚が大きく変わり、時代が大転換しようとしている。このコロナ禍で資本主義制度の脆さが露呈したことも事実だ。

大きく時代が動き出そうとしているときだからこそ、資本主義と共産主義、新自由主義を超えた世界平和と人類の安寧に貢献する思想を構築していくべきではなかろうか。つまり、今こそ我が民族思想の原点に立ち返り、国体の淵源（歴史、伝統、文化）に基づく思想制度を創造して、問題提起することがもとめられているように強く思う。

マルクスの言葉に「この社会構成体をもって人類社会の前史は終わる」がある。いつになれば、人類社会の前史が終わり、本史がはじまるのだろうか？

金鶏の平和の光が日本を覆い、高次的高天原（タカマノハラ）のマツリゴトが展開されてこそ搾取、疎外、差別、貧困はなくなり、公正、公平な民族共同体が完成された我が民族の本史がはじまるのだ。

まえおきが長くなったが、本書でとりあげる大日本国家社会党掖上《わきがみ》支部と「街頭新聞」について説明しておく。

大日本国家社会党は昭和九年（一九三四）三月十日に結成された。総理は石川準十郎《じゅんじゅうろう》で、機関誌・紙は『国社戦線』と『国家社会主義』だった。

党誓で君民一如搾取なき新日本の建設、綱領では、天皇制のもと国家、国民の一大飛躍、資本主義の打倒、国家社会主義・集中的計画経済の樹立などを訴えている（大日本国家社会党の党誓、綱領全文は資料編に収録した）。

そして昭和九年七月三十日に大日本国家社会党掖上支部（掖上は現在奈良県御所《ごせ》市）が西光《さいこう》万吉《まんきち》らによって結成された。支部長は岸田国太郎、結成式に約三百名参加（掖上支部結成の報告は資料編に収録）。

大日本国家社会主義協会機関紙『国家社会主義』（昭和九年十二月号）は「**西光萬吉氏が約一時間に亘つて國家社會主義の眞髓を說き**」と、大阪城東支部結成大会（昭和九年十一月三日）で西光万吉が講演を行ったと報じている。

奈良県下の大日本国家社会党の勢力は、掖上支部をはじめ忍海《おしみ》支部、高田支部、上牧《かんまき》支部などがあったと「街頭新聞」で確認できる。「街頭新聞」は西光ら有志による地方機関紙で、大日本国家社会党掖上支部の機関紙的な役割をはたしていたとされている（創刊号から第四十五号まで発刊されたようだ。期間は昭和九年九月十日～昭和十三年〈一九三八〉十二月二十日。西光万吉が殆どの論説を書いたといわれる）。

紙上には「高次的高天原（タカマノハラ）の展開」思想や国家社会主義思想の論文、国際情勢、国内情勢、陸軍パンフレット支持や天皇機関説排撃の論説、県内外の国家社会主義運動、農民運動、労働運動、水平社運動をはじめ社会運動の動向など多岐にわたって記されており、かなり理論的水準の高い内容豊富な機関紙だった。

「街頭新聞」で西光万吉らが訴え続けた基本的思想は日本的国家社会主義であり、「高次的高天原（タカマノハラ）の展開」および「君民一如搾取なき新日本の建設」だった。つまり搾取も疎外も差別も貧困もない公正、公平な万人平等の社会と人間の解放の原基をタカマノハラにもとめたのである。

この思想的要旨について中田竜三が『新勢力』（昭和四十二年〈一九六七〉十月五日号）に掲載の『愛知時計労働争議顛末記』で、わかりやすく説明している。

「西光万吉が、国社党の綜合弁証法は、国家主義プラス社会主義＝国家社会主義であって、木に竹を継いだ理論であり、唯心論と唯物論の混合理論である。この理論はもう一歩進めて『物心一如』の化合論に持って行かねばならないと主張し出し、『日本国民はすべて天皇の赤子であると同時に、日本のすべての物も一木一草に至るまで天皇の物たらざるはないのである。従って我々国民にはローマ法的所有権に基く私有財産というものは元々あり得ない。ただ天皇の財産を一時お領かりしてそれを用うる権利、即ち皇産分用権があるのみである』といった理論を展開し始めた」

これこそ「街頭新聞」で訴え続けた国家社会主義論「高次的高天原（タカマノハラ）の展開」の思想的要旨である。

小林杜人編著『轉向者の思想と生活』（昭和十年〈一九三五〉刊）に、西光万吉の手記が掲載されている。この時期（昭和十年頃）の西光万吉の活動と思想を知るうえで非常に貴重な資料だ。なので国家社会主義活動への想いについて述べているくだりを紹介しておく。

「大日本國社黨の掖上支部を結成し、従つて黨所属の農民組合、勞働組合等を組織してゐますので、紛議、爭議續出で實際多忙です。……更に全國的には所謂《いわゆる》、國體の眞姿顕現のための昭和維新の陣營を整備し、動員して、君民一如搾取なき、高次的タカマノハラを展開したいと念願して居ります。……私の思想ですが、これは勿論獄中で書いた『マツリゴトに關する斷片的考察』によつてお知り下さる通りです。ですから茲《ここ》に更めて申し上る必要はありませんが、要するに原始的タカマノハラから高次的タカマノハラに通じる『神ながらの道』を信じる者です。生理的共通性と經濟的共通性の自然的統一性たる『國家社會主義的』政策を實施すべしとする者です。それで私は大日本國家社會黨に属してゐる次第です」

また西光は戦後、『新勢力』（昭和四十二年五月号）の特集「高畠素之の思想と人間」に『大会宣言と党旗のこと』と題した論文を寄稿しているが、「高天原のマツリゴトの事」の章で次のように述べる。

「今の独占資本的といはれる社会の私たち民衆のなかにもある筈です。例えばその独占的資本を同胞的資本に改めることです。ですから私たち日本国民が平和で共栄の社会をのぞむならば、文字通りの民衆運動で、より高い高天原への道を行く事が、私たちの為にも諸国の民衆の為にものぞましいと想います」

戦後もたびたび「高次的タカマノハラの展開」思想の一端を述べている。戦後の西光万吉は世界平和構築に向けて和栄政策を訴えていく。和栄政策の思想的根底にも「高次的タカマノハラの展開」があっただろう。

国社党時代の西光万吉の諸論文や「街頭新聞」を読んでいくにつれ、「高次的高天原（タカマノハラ）の展開」思想は、資本主義や社会・共産主義思想を止揚した新しい思想的境地であり、日本国体の思想真髄に違いない、との想いを強くした。まさに「高次的高天原（タカマノハラ）の展開」思想こそが、私にとって思想的終着点なのだと確信した。更なる「高次的高天原（タカマノハラ）の展開」思想の探求を続け、「高次的高天原（タカマノハラ）の展開」思想を実践に活かしていきたい。

ある研究者から「街頭新聞」のコピーを頂いた（心より感謝している）。そして約二年前から『不二』誌に「街頭新聞研究ノート」の連載を始めた。かくして「高次的高天原（タカマノハラ）の展開」思想、ひいては日本的国家社会主義思想と向き合い、探求してきたつもりだ。これからも時代に応じた「高次的高天原（タカマノハラ）の展開」思想を探求、創造、構築し、更なる問題提起を行っていきたい。混沌とした閉塞状況を打破して「君民一如搾取なき新日本の建設」にむけた思想的な一石を投じていきたい。地元で展開された思想を今に伝えて、後の世代にものこしていきたい、その想いをこめた第一歩がこの拙著である。本書では、「高次的高天原（タカマノハラ）の展開」、「街頭新聞」が提唱した国家社会主義論に限定して述べた（西光万吉については、師岡佑行著『西光万吉』（人と思想シリーズ　清水書院）に詳しく書かれているので参照していただきたい）。

今後、日本の国家社会主義思想及び現状に応じた「高次的高天原（タカマノハラ）の展開」ならびに「君民一如搾取なき新日本の建設」思想を著述していきたいと考えている。

拙著出版の機会を頂いた荒岩宏奨社長、「推薦の辞」を書いてくださったロマノ・ヴルピッタ先生、デザインを担当してくださった塚本保嗣様、拙著作成にあたりご協力してくださった冨澤祥郎様、植田幸生様、藤本隆之様、仲原和孝様に心から感謝と御礼を申し上げます。

令和三年三月二十日

著者　記す

＊本書は『不二』連載の「街頭新聞研究ノート」（令和元年〈二〇一九〉八月～令和二年五月）を大幅に加筆修正してまとめたものである。

＊原文引用にあたり、適宜ルビを付した。

国家社会主義とは何か――「街頭新聞の思想を読む」◎目次

「街頭新聞」資料編

装幀　塚本保嗣

第一章　大日本国家社会党の綱領と宣言

一、「街頭新聞」とは何か

「街頭新聞」の発刊趣旨はどのようなものだったか？ 「**発刊の辞**」は次のように述べている。

「**農民よ、労動者よ、被差別者よ、その他すべての被壓迫者よ。街頭に出でよ。街頭こそ諸氏を搾壓する資本主義を打倒して君民一如搾取なき新日本を建設すべき勢力を結集するところだ。かくて街頭新聞は、まさしく諸氏の眼であり聲であるべく生まれたのだ**」「**社會の出來事を正しく勤勞大衆諸氏に傳へ、さらに諸氏の輿論を反映し、諸氏を街頭に待ち君民一如搾取なき新日本建設の昭和維新を成就するために、この街頭新聞は生れた**」（**創刊号　昭和九年〈一九三四〉九月十日**）

大衆にとっては街頭こそが政治革命の場である。レーニンらのロシア革命もムッソリーニのローマ進軍も、すべては街頭に集う大衆の行動から動き出している。大衆の声を街頭に結集し、資本主義の不条理をただすべく昭和維新のうねりを挙げていこうとの思いが伝わってくる。資本主義を倒して、君民一如搾取なき新日本を建設していく昭和維新運動を展開する問題提起のツールとして「街頭新聞」を発刊したのだ。

そして党には、昭和維新運動を展開していくうえでの綱領が必要だった。綱領とは、運動、団体の目指すべき基本方針、理念、目標を定めたものである。

大日本国家社会党掖上支部および「街頭新聞」は、どのような運動を展開しようとしたのか？　またどのような理想社会をもとめていたのだろうか。

二、綱領にみる君民一如搾取なき新日本の建設

『大日本國家社會黨は何を主張するか——綱領解説』（十三号から十六号まで　昭和十年〈一九三五〉四月三十日〜昭和十年六月三十日）と題する連載で大日本国家社会党綱領を解説している。大日本国家社会党の思想を知るうえで最も重要かつ基本的な綱領の解説からみていくことにしよう。

まず党誓から。

黨誓　光輝ある建國の本義に基き、君民一如搾取なき新日本の建設を期す

大日本国家社会党の考えた建国の本義は？　君民一如搾取なき新日本の建設とは？　いかなるものであったか。

「決して現在の様な弱肉强食の、同胞相克の、精神でなかつたであらうと云ふ事は誰でも想像出來る事である。建國の當初に於いて天皇を中心とした日本民族の完全な結合の上に立つた共同精神が支配してをり、其處には『俺が、我が』と言ふ様な個人意識が少しもなく、誰でもが働き、働く者は誰でもが安定した生活を持つてゐた社會であつた」

建国当初は、天皇を中心とした私産制も階級制もない民族共同体だった。この美しい共同体精神はどこから始まっているのか。

「氏族（種類）共産體時代たりし高天ヶ原時代（高天ヶ原と言ふと雲の上にある様に教へられて來てゐるがそんな事はあり得ない事だ）から引續いてゐる日本民族の共産意識、同胞意識である」

タカマノハラの御代より続いて伝わってきた民族の共産意識、同胞意識。それは自由放任主義、営利至上主義、個人主義中心の利己的精神がなく、共産意識、同胞意識に基づいた、皆で助け合い支え合う相互扶助社会がタカマノハラのマツリゴトであった。

しかし現在はどうか？　そのような共産・同胞意識は民族共同体のなかに残されているだろうか？

「吾々は現在の日本の何處を見渡してもこの美《うる》はしい同胞意識のあるを見受ける事が出來ない。金持と貧乏人、働かずして食ふ者、と働いても食へない者とが當然の様に考へられてゐるこの社會にあつて、吾々が眞實に日本意識に目醒むるならば當然この共同精神——建國の本義——に立脚して今の様な不合理きはまる社會の改造に向つて進まなければならない……今の社會は資本主義社會と言ふて、金持階級が、勝手に社會を動かし勞働者や、農民を搾取して氣儘な生活をしてゐるのに反し、勞働者や農民、其の他の一般勤勞大衆は働いても働いてもちつとも生活が樂にならない世の中である」

資本主義の発達によって階級分化がすすみ、自由放任主義、営利至上主義、個人的利己主義が主流となって、同胞意識をみることができなくなった。

資本主義下の社会は、資本家地主と労働者農民大衆の階級構造で成り立っている。資本主義下の民衆は働かないと生きていけない。生活のため労働が必要になってくる。労働の成果として賃金が支払われ、受け取った賃金から生活に必要な品を消費者として買う。

労働者が所有するものは土地でもない資本でもない、労働力のみだ。労働者は生産手段を持つ資本家、雇用主に労働力を売らないと生きていけない。労働力の商品化だ。

一部の持てる者（金持階級）が大多数の大衆（国民勤労大衆）の労働から搾取して儲ける仕組みである。搾取から格差や貧困が発生することで階級対立から階級闘争に到り、不公平な社会構造が浮き彫りになる。

だからこそ国民救済のため民族共同体精神の根源である建国の本義に立ち返るべく、資本主義制度撤廃に取り組んでいくべきなのだ。

では資本主義体制を変革したとして、その後の社会をどのようにすべきなのだろうか。

「日本人は總て天皇の赤子であり、平等であるべき筈なのだが、資本主義と云ふ制度が、吾々赤子を不平等にしてゐるのである。吾々が本當に、吾々の天皇と、吾々赤子とが親と子の如く融合し、一家族の様にする爲にはこの現在の憎むべき資本主義を打倒しなくてはならない。そして、寄生蟲の様な資本家地主共を奸臣として吾々の前から追っ拂ひ、金持も貧乏人も差別のない一率平等の社會にしなくてはならない……搾取の無き、自由平等な新日本の建設を

期して、吾々全國民は奮起しなくてはならない」

資本主義を倒して君民一如搾取なき新日本をつくろうとの想いこそ大日本国家社会党が目指した「国体完成としての国家社会主義」「天皇制の帰結としての国家社会主義」「高次的高天原（タカマノハラ）の展開」の基本理念だった。その理想社会実現のため大日本国家社会党の旗のもと全国民が結集して、昭和維新運動を展開すべきだと訴える。

綱領解説で述べられているのは、国家社会主義の基本思想であり理念だ。

資本主義打倒、社会主義、平等などの語句をみてマルキストの一種かと誤解を招くこともあろう。しかし大日本国家社会党は、共産党やコミンテルンのように天皇制の打倒も叫ばなければ、革命も唱えない。

天皇を戴きすべての国民が公平、公正で搾取なき民族共同体社会、天皇制社会主義を提起する。高天原より伝わりし、我が国体の理想社会である天皇を中心とした、君民一如搾取なき新日本の建設をめざす、日本的社会主義をつくる思想であるのだ。

三、綱領にみる天皇と勤労国民

綱領の一で、

「我等は我國古來の天皇制を以て我國最適至上の國家體制と信じこれが絶對遵奉の下に我

が國家及び國民の一大歴史的更生を期す」

天皇制と勤労国民について解説する。三千年の長き歴史を有し、世界に類をみない我が日本民族の中心体である天皇と欧米諸国の帝王や大統領の性質との比較を述べる。天皇の御存在、民族との関係を「**日本の天皇制は純然たる、日本民族共同體の中心であり、天皇と民族の關係は親と子の如くなる**」と、天皇は民族の中心的御存在であり、国民と一体となった国体であるという。

天皇は「国安かれ　民安かれ」とお祈りあそばされる御存在であり、決して権力者的な性格は持ちえない。

天皇を諸外国の帝王や大統領のごとき権力者的存在と定義すること自体間違いなのだ。

諸外国の帝王の性質を、

「常に民衆の壓政の上に立つた帝王であり、權力の强大なものがその王座につき、その度毎に戰爭が起り民衆は苦しめられてゐる……諸外國の王は、一つの經濟的利益を背影として一國家の政治權力を掌握してゐる王であるから民衆の共同利害に拘ることなく獨斷占横の政治をやることが珍しくない」

と評する。帝王は権力者として君臨し、多くの国民大衆を苦しめる（戦争や搾取、莫大な課税など）存在として独断政治を執り行ってきた。

共和制下における大統領の性質については、

「形式上は全國民の代表として選出せられるのだが、それは本當に形式だけであつて事實は、資本家、地主に都合のい丶様な人物が選出せらる丶のである」

表向きは選挙で選ばれた民主制の様相を呈しているが、実はブルジョア階級の利益を代弁する輩が選ばれていると本質を突く指摘をしている。

この時期、世界大恐慌の影響や深刻な農業不作によって国民大衆は苦しい生活を強いられていた。

「日本の天皇制が古代の共産體そのま丶の發展した姿を以て日本民族の上にあつたならば、決して米を作る農民が米を喰へなくなつたり、『働いても貧乏する』やうなことはないであらう」

時代に応じたタカマノハラのマツリゴトを展開していれば、国民が貧乏したり食えなくなるようなことはなかったという。このような同胞相克や弱肉強食の状況をつくってしまった原因は一体何だったたか？

「共同的日本精神を破壊して個人の利益の爲には他の飢たる同胞をもかへり見ないと云ふ資本主義制度の爲である。數十人の資本家地主の華美な生活の爲に如何に何百萬何千萬人の同胞が貧困のドン底にタ丶キ落されて居るか？そして又金融資本家の利益の爲に如何に日本國家が戰争の危機にさらされてゐるか？。我々は之等《これら》の重積してゐる國難を座視するに忍びない。吾々はこの資本主義と云ふ煙に覆はれ、歪められてゐる天皇制を、眞實の姿に引戻す

爲に戰はなくてはならない」

私利私欲にまみれた資本家地主ブルジョア階級らの搾取による、多くの国民大衆の犠牲の上に築かれた資本主義、帝国主義制度が日本民族を貶めている元凶であるという。

民族の危機を黙って見過ごすわけにはいかない。

どのようにしても資本主義を打ち倒して、真の天皇制を取り戻し、国民を危機から救済しなければならない昭和維新の秋《とき》であった。

日本の歴史を振り返ってみても、幾度もの国難はあった。その都度、我が民族は天皇を中心に団結して国難を突破してきた歴史がある。

その最たる例が明治維新であったとして、「**民衆の中からまき起つた尊王の血の叫びは遂に徳川三百年の亡國權力を打倒したではないか？　今又吾々は金融資本家に依つて日本の國體が危機にさらされてゐる事をハッキリと見てとる。この秋《とき》、我國古來の天皇制を吾々の血となし肉となして國難打開に男々しく立たなくてはならない。それこそ、我が國家及び國民の一大歴史的更生への民族の血の叫喚だ**」という。

昭和維新の打倒目標は、金融資本家をはじめ政財界のブルジョア階級の権力者だった。

我が国の民族同胞調和社会の理想と、私利私欲にはしる個人主義的利己主義の思想は相容れない。

我が民族に害を及ぼす不逞な権力者または社会状況がでてきたときは、必ず天皇を中心に国民が団結して世を更生していく維新運動があったのだ。

四、綱領にみる資本主義批判

綱領の二では、「**我等は現行資本主義の無政府經濟組織を以て現下の我が國家及び國民生活を危うする最大なるものと認め公然の國民運動に依りこれが改廢を期す**」と言い、資本主義制度こそが我々の敵だとして、その根拠を説く。

すでに綱領の一で、我が国体の発展を阻害しているのは資本主義制度であると論じていた。実際に日常生活を見てみれば、その理由がわかるとして、「**勤勞國民大衆は、常に貧困のドン底へドン底へと没落しつゝある。昨日まで素封家であつた者も明日は借金と破産の中に投げ込まれ、デパートの發展の前に小賣商人は悲鳴を上げ、勞働者大衆は益々低下する賃銀と失業難の前に恐怖し、農村には凶作飢饉がおそひかゝり、繭價の暴落は徹底的に農民から人間生活を奪ひ去つて行きつゝある。それにも増して全國には二百萬の永久失業者が食を求めて得られず、餓死を待つばかりの状態にあり、日本國民の全部を上げて、資本の壓制下に呻吟してゐる**」。

資本主義下の労働者農民大衆の悲惨な生活実態ならびに社会推移について述べる。

資本主義は競争で成り立つ。商売も競争、生産者も競争、労働者も競争、総てが競争である。競争であるからには勝者もあれば敗者もある。好況期ならよいが、一転、不況期になれば露骨に悲惨な没落状況が生ずる。倒産が増える、失業が増える。こうなれば国民大衆にとって生き地獄のはじまりでしかない。資本主義の景気循環システムのデメリットである。

よく似た状況が現在もあるのではなかろうか。小泉構造改革以降、今に至る地方創生まで芳しい結果はでず、地方は人口減少、シャッター商店街など衰退の一途をたどり、勤労大衆の間では経済格差がひろがり続けている。農業分野でも後継者不足に耕作放棄地や遊休農地が増大するばかりだ。

資本主義のもとで一定の文明の発展と恩恵は受けているものの、その反面、国民大衆の人間としての尊厳は失われつつある。資本主義制度総体を見直し、新しい制度構築に向けた動きをしていかないといけない転換点に来ているのではないか。

昭和十年当時、金融資本家や地主は、国民大衆の犠牲のうえで多大の利益を得て、贅沢三昧の生活を送っていた。なぜ同じ天皇陛下の赤子である日本国民のあいだに階級差別的な事態が生じているのか？

その理由は資本主義の無政府、無統制経済組織にある。

「資本主義時代を生んだ根源は個人主義にある。『各人の利益は萬人の利益をもたらす』と云ふ言葉が盛んに使はれてゐた時代即ち初期の資本主義時代にあつては成程各人の自由な發展が國家を富ました」

やがて資本主義が発展するにつれ自由競争が過熱化していく。その結果、「**大工場が建設され、新機械がとり入れられ、それに對抗出來ない者はどんどん没落して行つた。それは、商品が無統制に全國の生産工場から製造される事に依つて生産過剰を來《きた》し、商品の價格を暴落させる事に依つて、それを支へ切れない處《ところ》の中小工業者の没落に拍車づける結果となつた……何萬人の失業者が街頭にほうり出された。かゝる行程を循環する事に依つて日本の資本主義は益々獨占化し、又それだけ、勤勞國民大衆は飢餓線上に一歩〳〵近づいて行つてゐる**」

生産過剰さらには倒産、失業へと進んでいき、資本主義は独占化していく。こうした経済循環サイクルのもと、倒産、失業や恐慌が深刻度を増すごとに、ストライキの波が高まり、階級闘争が先鋭化してくる。

また農村の状況について、「**徳川武家政治時代からの壓制が續けられてゐた。徳川に變つたものは地主なのだ。一度も田に入つた事もない地主の代々は三十年も四十年も同じ田から小作米を上納させた。そして此處《ここ》にも無統制な米の亂作があつた。その結果米の値が暴落し、地主は茲《ここ》に山積された米俵を見ながら、みす〳〵損をして行つた**」と、江戸時代から圧制が続けられてきたと説き、昭和八年（一九三三）にだされた「米穀統制法」については、「**一定の處まで米の値が下ると國民の税金を以て米を買上げてその値を暴落から維持した。斯様《かよう》にして無統制に作られた何千萬石かの米は政府の藏におさまつて腐るにまかせ、鼠の喰ふにま**

かせられた。昭和八、九年頃から凶作がおそつて來、東北の農民は米も喰へず、木の實や草の根をかぢつた。それにも拘《かかわ》らず政府の藏には米がウナつてゐた米の値を維持する爲に！」と、地主の儲けを維持する法案であり、食うに困っていた農民大衆を救済する内容ではなかったと糾弾する。

続けて「糸価補償法」（糸価安定施設法）をも批判し、「**無統制な經濟組織と、それを補ふべき資本家的統制法をおしげもなく暴露してゐる**」と断ずる。

資本主義制度の権力者は資本家地主である。これら階級に有利な法案（無統制な経済組織、資本家に有利な資本家的統制法など）をつくるのは資本主義の制度であれば当然の行為であり、国民大衆は置き去りにされてしまう。恐慌や凶作に苦しむ社会情勢にあっては国民大衆の救済をこそ政治の第一義とすべきである。

資本主義のもとではいかなる社会政策を施しても、国民大衆を救済できはしない。資本主義制度に代わる新しい制度、国家社会主義体制の構築こそが国民を救済できるのだと訴えかけている。

五、綱領にみる国家社会主義計画経済制度

綱領の三では、国家社会主義計画経済制度の樹立を論じる。

資本主義制度の無政府的、無統制的な性質によって生産過剰となり、不景気、恐慌にみまわれてしまう。

それにより国民の失業が増えて没落の一途を辿り、会社も倒産、相次ぐ吸収合併、やがて「金融ブルジョアの独占時代」が到来する。

過剰生産品の処理等の目的で海外に進出し、「市場獲得競争」が展開され、ついには企業家同士の獲得競争が国家間の戦争にまで発展していく。

政府は対策として「米穀統制法」「重要産業統制法」といった諸統制法を出したが効果はなかった等々、資本主義から帝国主義への社会経済体制の推移過程を論じながら国内も国外も国家国民の生活が常に危機にさらされていると説く。

どうすれば資本主義、帝国主義の圧政から国民大衆を救済できるのだろうか。

「亡國的主義制度を、この光輝ある日本民族の共同體國家より徹底的に排除しなければならない。それは、祖國日本と、吾々の生活を擁護せんと志ざす全國民の強力な一致團結の力に依つて遂行せられる。日本民族の運命共同體的精神を以て、血の結合を以て、吾々は、公然たる國民運動、即ち、勞働者も農民も、サラリーマンも中小商工業者も、兵士も、苟《いやし》も祖國を愛し、しかも資本の壓迫の上に呻吟する一切の勤勞大衆は一つのかたまりとなつて、この資本主義の打破に突進するのだ」

正しい日本民族精神のもと国民大衆が団結して資本主義打倒の闘いを展開すべきだと呼び

かける。では資本主義打倒後にくる新しい経済社会制度はどのようなものになるのか？　大日本国家社会党の綱領で示される救済策、打開策として「三、**我等は現下の我が國民生活の救濟は國家に依る集中的計劃經濟の施行に依るの外《ほか》なきものと信じ、合法的方法に依り之《これ》が達成を期す　國家社會主義計劃經濟の樹立へ！**」と主張する。

「高次的高天原（タカマノハラ）の展開」「君民一如搾取なき新日本建設」にもとづく経済制度とは、国家社会主義的計画経済、統制経済であり「資本主義から国家社会主義へ」ということなのだ。この経済制度こそが資本主義の弊害から国民大衆を救う打開策である。

資本主義が営利性の追求、自由放任であり、私益、個人主義が基本となる経済社会制度であるのに対し、国家社会主義は、私益よりも公益が優先され、階級制（資本主義はブルジョア階級、共産主義はプロレタリア階級）ではない、民族が本位の国家による統制、計画、調整、均衡に基づいた経済社会制度である。

この時期、困窮する国民大衆の救済が第一目標であったことはいうまでもない。資本主義から帝国主義へと発展していく過程でさまざまな矛盾が生じた。

そのデメリットの部分を解消しなければ国民の救済は不可能である。資本主義、帝国主義の諸矛盾点の解決を考えたうえで、国家社会主義こそが国民大衆を救済できる経済社会制度だと結論を得たのだろう。

しかしブルジョア階級が己の階級的権益を守るため、資本主義の矛盾的本質、性質を隠しながら、統制経済や計画経済の仮面をかぶった経済運営をすることもありうる。そんなことをすれば、統制の名のもと大会社が小さい会社を淘汰、独占化していき、統制経済下でも、国家独占資本主義的要素を含んだ資本家階級優位の経済になってしまう。国家社会主義的計画統制経済を推進していくうえで、下部組織の統制化よりも、重要産業や金融機関など上部組織の国営統制化、土地と資本の国有化から進めることが肝要だ。

確かに、計画統制経済にも欠点（競争心がなくなり発展性が見込めない。新しい官僚制の発生など）はある。しかし、資本主義と社会主義と計画経済、統制経済の良き点を止揚していけば、より国体精神に、または高次的タカマノハラのマツリゴトに適う経済社会制度を構築できるはずだ。そこで、大日本国家社会党は、高次的タカマノハラの展開に向けて全国代表者会議を開催する。その模様を『**大日本國家社會黨全國代表者會議　高次的タカマノハラ展開へ**』（**七号　昭和九年〈一九三四〉十二月二十日**）が伝えている。

全国代表者会議は、十一月三十日、十二月一日の二日間、東京市芝公園内協調会館で開催された（参加代表者百名）。ここで全国代表者宣言を発表した。また一般運動方針大綱のなかで「日本民族古典共同精神を基調として高次的タカマノハラの展開」を理想とする運動方針が決定された。全国代表者会議の宣言に「**天皇制の歸結としての國家社會主義、國體完成としての國家社會主義であり、同時に近世社會主義の歸結としての國家社會主義である。從來我等の本質、眞實を誤解曲解せる一般亡國的諸政黨は今こそ我が黨が邁進せんとする光榮の**

道、全人類の思慕の道たる神ながらの道を展望して、その誤解曲解を直正せよ……天皇制の光輝ある絶對的本質たる赤子思想としての同胞意識、奉還思想としての共産意識による國體完成の爲の黨たることを宣言する」と盛り込まれている。

高次的タカマノハラを展開していくうえで、奉還思想と赤子思想は重要だ。この二つの思想がタカマノハラ社会の核心となる構成要素である。

赤子思想は天皇のもと同胞は平等であるべきことを説く。

奉還思想は天皇に土地と資本等を奉還して私有を認めず（国家社会主義思想であっても生活手段、消費手段の私有は認めるとの主張もある）、財産は公益、共同所有であるべきと説く。このような社会を天皇社会主義、国家社会主義といい、天皇と国民が一つになって、搾取や差別のない公正公平な現世的タカマノハラをつくることが国体完成としての国家社会主義である。

この、真の社会主義の姿というべき国家社会主義社会こそが、大日本国家社会党の目指した理想的社会像だった。

第二章

高次的タカマノハラ的世界観

一、タカマノハラの理想とは

原始的タカマノハラの社会とは、奉還思想と赤子思想に基づいて構成された母権親和共産制社会である。君と民が一体となって公正公平な社会を構成しており、階級制度もない、私的所有もない、搾取も貧困も差別もない、公平公正に富が分配されて、相互扶助と協働と均足消費で成り立つ民族共同体世界だった。

しかし経済社会が発展するにつれて原始共産社会体制は崩れていく。分業化、私的所有、階級分化が進み、現在の資本主義、帝国主義体制へと推移していくなかで、様々な社会的諸矛盾が生じる。

これら諸問題を解決していくためにも、日本国体の淵源であるタカマノハラの世界観への回帰は必要であり、そこから現代に適う制度を創っていくのが「高次的高天原（タカマノハラ）の展開」であった。

二、高次的タカマノハラの展開へ

『高次的タカマノハラの展開へ　國體完成と國防完備』（十一号　昭和十年〈一九三五〉三月十日）は問答形式で二ページにわたり、なぜ国防国策（本書第九章「陸軍パンフレットと『街頭新聞』」参照）

が必要なのか？　資本主義制度および個人主義的近代文化は総決算すべきではないかと問いかける。

帝国主義思想の基本キーワードといえば「独占」である。

「帝國主義なんだ。つまり個人が資本を獨占して、同胞を搾り取つたり、他國の勤勞大衆を搾り取つたりすることの出來るやうな今の世の中を帝國主義の世の中といふのだ」

同胞大衆を搾取するのは個人的独占資本であり、他国を搾取するのは国際的独占資本である。国民から他国から、あらゆる場からの搾取や支配は、国民大衆、国家のあいだで対立、闘争を生み出してしまう。

「元來、日本國體は、天照大神を中心にして共に働き共に樂しむタカマノハラで治まつてゐるのではないか。して見れば他人を搾り取つたりしてはならぬ國體だ」

「一つは今では資本が大きく少數の個人に集められて、多數の個人はトテモ彼等大資本家と自由に競爭してモウケることができなくなつた。二つには、今では大きな銀行が大工場や大鐵道や大商店等を經營し更に大政黨まで支配して政治的にも大勢力をもつやうになつたこと。三つには、今では、商品を外國へ輸出するよりも資本を輸出する方がモウケるのに都合がよくなつたこと。四つには、今では資本家が國際的に團結して世界中の市場を分けどりすること。五つには、今では強大な資本主義諸國によつて世界中の土地を分け取りしてしまつたこと。大體この五つの事が帝國主義の特徴だよ」

これら資本主義、帝国主義思想は、我が国体の思想、理想（君民一体の国柄）とは明らかに反する。帝国主義の特質と日本国体との違いを説きながら、当時（昭和十年）の世相にたいして「**一體今日の日本の有様は何うだ。實際、帝國主義的ぢやないか**」と、帝国主義がもたらす社会的諸矛盾に憤っている。

そんな帝国主義下で困窮を極める農山漁村救済のため、国防国策の遂行（陸軍パンフレットの実行）こそが、資本主義に代わる新しい社会制度をつくり、人類同胞を救い、繁栄をもたらすのだとして「**三月パンフにも、地上一切の人類は悉く同胞であり、互に相愛し相扶《たす》くべきであるから、その爲には帝國主義的政策を排し、世界的に個人主義的文化の總決算をせねばならぬ**」と、帝国主義をはじめとする個人主義に基づく西洋概念、西洋思想の克服を訴える。

西洋思想の克服とは、国体の淵源への回帰である。「**如何なる困難をも克服して、君民一如搾取あるべからざる國體を完成せねばならぬ**」。日本国体の理想的姿である君民一如搾取なきタカマノハラを建設するべきだというのだ。

『**高次的タカマノハラ展開の超ファシズムに就て**』（**十六号　昭和十年六月三十日**）は、日本型ファシズムの超ファシズム性としての国体の本質とマツリゴト復活を考察する。

よく左派関係者が、敵対する者に「ファシスト」なる言葉を浴びせかけるのは常套だが、「ファッショ」呼ばわりには「我はファッショなり」と「高次的タカマノハラ展開の超ファシズム性」を主張しようという。

「社會主義的假面をかむつて、實は、獨占的ブルヂョア資本の鐵鎖に勤勞無產民衆を國家の名によつて、緊縛せんとするところの所謂《いわゆる》ファッショと、飽くまでも打倒資本主義を主張し、勤勞國民の黨として國體完成のための階級鬪爭を主張する我等との相違は、單なる言葉の上の相違ではない。そこには彼此の國家に於ける客觀的諸條件の相違とそれに對する認識の相違がある」

ナチスやイタリアファシストとは違う。日本型の超ファシズム性は、資本家や無産大衆の階級的視点に立ったものではない。民族共同体の民族本位の視点に立つ考えである。

「高次的高天原（タカマノハラ）の展開」とは、天皇と国民が一つになって搾取がない新日本を建設していくことだ。またそれは、天皇制の本質「神ながらの道」に基づいて赤子思想（同胞意識）と奉還思想（共産意識）による国体完成をめざすことである。

だから日本民族は、「**ローマ法的私有財産の戦闘奴隷たるファッショではない……機械的コミンタンのロボットではない**」。ローマ法的私有財産のファッショでもなければ、共産主義コミンテルン的なファッショでもない。日本民族は天皇の赤子であって、階級制に基づくファッショではないのだ。また、幕末の公武合体論や資本主義下の労資協調論は俗論であるとする。確かに権力者擁護、権力延命をはかる階級制度に基づいた権力者階級の視点に立つ、俗論的な思想だ。俗論（労資協調主義、修正主義、公武合体論）、資本主義や共産主義は、階級制度（ブル独裁だろうとプロ独裁だろうと同じ）に基づくゆえ、いくら社会政策を施行しようと高次的タカマノハラを展開することはできない。民族本位の国体の淵源に基づいた国家社会主義でなければ真の国体（高天原の理想社会）はつくりえない。

この時期（昭和十年）、高次的タカマノハラ実現に向けて本質的機能を発揮しうるような社会的生産段階が展開してきたこと、つまり国家が経済を統制する段階へ発展（国家社会主義的生産段階への）していくことはブルジョア的独占資本の自滅に向けた進行であるとみる。

この過程には注意すべきことがあって、**「國家資本主義の上に立つてブル的資本と握手し統制の名によつて國家資本主義より國家社會主義への轉化展開を阻止し、自己の愚劣なる權力欲を滿足せしめんとする危險性こそ、我等、眞實なる日本主義の克服すべき官僚と軍部の陥り易き陥穽である」**と記す。権力維持ための妨害謀略工作の動きに注意を要すると指摘する。すなわち、ブルジョア階級は資本主義、帝国主義延命、権力維持のため、あらゆる策を弄してくるだろうと注意を喚起する。そんな妨害工作など撥ね退けないと、国家資本主義から国家社会主義へ、高次的タカマノハラを建設することはできないというのだ。

三、高次的タカマノハラ的社会とは

次に**『赤子思想と奉還思想の燦々たる高次的タカマノハラを展開せよ』**（**十九号　昭和十年九月二十日**）から、高次的タカマノハラ展開の基礎思想をみていきたい。

タカマノハラ世界観とは、天皇と国民が一体で、赤子思想と奉還思想が基礎をなす社会的生産組織の親和共働社会、母権共産制社会であり、祭政一致、君民一如のマツリゴトが執り行われる社会である。

原始高天原には、搾取も差別も階級もローマ法的私有権もなかった。しかし私産制の発達とともにマツリゴトが祭政一致から祭政分離に移行し、階級分化、分業化、搾取といった社会的不公平が発生してくる。

「ローマ法的ブルヂヨア的私法の前に拝跪《はいき》せねばならぬであらうか。所有者の獨裁的處分力を本質とするローマ法的所有權が今日の如く大資本を驅使する時、反《かえ》つて恐るべき所有權の侵害が間接的に勤勞大衆の零細貧弱な生産用財産の上にさへ加へられ今や勤勞無産大衆はやむなく其の貧弱なる生産財の所有權を放棄して、貧農化、プロレタリア化しルンペン化しつゝある」

こんな悪弊を生み国民を苦しめる資本主義制度を打倒し（もちろん、社会共産主義も打倒対象）、真の国体観念に基づいた皇道皇産経済制度をつくることが昭和維新運動の第一目標だった。

「皇道經濟とは、私產制と共產制、社會主義と資本主義の折衷或は妥協ではない。この二つの思想の機械的物理的接合ではなく、實《じつ》にこの二つの對する思想を超えた有機的化學的化合であり止揚轉化である。それは凡《およ》そ人類が資生產業に對する意識としての最高の段階に屬する無私有の境地であり……」

資本主義と社会主義の折衷制度、混合経済、一体主義ではなく、無私有の境地たる皇道皇産経済に基づく高次的タカマノハラの建設を訴えているのだ。

「生理的共通性と經濟的共通性の自然的統一性たるこの道こそ、實に人類完成への古くしてまた新しき道である。所謂《いわゆる》階級對立の不調和性の産物としての國家を超えて、君民一如搾取なき國家、高次的タカマノハラの展開こそ我等日本民族の復歸すべき懐しき理想の故郷ではあるまいか」

「高次的高天原（タカマノハラ）を展開せよ」とは目指すべき理想社会であり、「君民一如搾取なき新日本建設」こそ一貫して訴え続けた国家社会主義思想だった。

繰り返すが、大日本国家社会党および「街頭新聞」の目指すべき理想的社会は「高次的高天原（タカマノハラ）の展開」である。地上にタカマノハラのマツリゴトを構築していくことであったのだ。

続いて**『高次的タカマノハラを展開する皇道経済の基礎問題』**（八号　昭和十年一月十日）から、原始的タカマノハラ社会について日本書紀に記されたタカマノハラを、どのように捉えていたか。

当時（原始的タカマノハラ）のタカマノハラのまつりごとについて次のように記す。

「私産制の發達と共に分離したる後世の宗教的祭事と混ずべきではなく、何處までも天國の光榮或は彼岸の浄土を求めるものではなくして、端的に現實的幸福として地上の豐穣と平

和を希望したものであつて、自然の生産力と人間の生産力とを調和せしめる爲めに彼等の蓄積されたる經驗に基いて行はれたものであつた。……農耕は、天體氣象、地形、地質、乃至は勞働力の組織に到るまで實に當時の各種生産部門中もつとも計劃的なもので在つたであらう。從つてマツリゴトは農耕時代の發展期に於て最も本質的に發達したと思はれる……極めて簡單なる生産器具と貧弱なる知識によつて不可思議神秘の偉力ある大自然に對立して、よく其の生活を維持し得た所以は、實にマツリゴトに依つて其の社會的生産がたゞに各部門に限らず全部門を統括して、嚴格な統制と細密な計劃の下に最大限の協業が行はれた爲である。……かくの如きマツリゴトに依る一切の生産物が、現在の如き資本主義的生産物同様の所有觀念を具へて消費者に分配せられる理由はない……タカマノハラにはローマ法的所有權は認めんとするも有り得なかつたのである」

原始社会では階級制度がなく祭政一致の共同体だった。祭政一致のまつりごとが全ての分野を統括して、農耕が生産の主であり、統制と計画に基づく効率的な協業が執り行われた社会システムだった。

太古の御代は、自然の驚異と向き合っていく生存闘争の一面もあった。そうしたなか、人々は神々を敬い崇め、豊作を祈り、自然と調和して、それぞれの能力や技術を持ち場で発揮し、共に助け合い支え合いながら生産物をつくり、公正公平に富を分配する相互扶助的社会、協業社会体制がとられていた。当然、生産物や所有物の私有など認められない。

原始的タカマノハラでは、ローマ法的私有権はありえなかったが、時代が下るにつれローマ法的私有財産制度が発達するとともに階級分化が進み搾取、貧困、格差といった不公平社会が制度化されていく。そんな社会の不条理をただしていくのが昭和維新の一つの目的となり、「高次的高天原（タカマノハラ）」実現のため奉還思想と赤子思想を唱えるようになった。

原始的タカマノハラの生産物観念の意義と日本的な所有観念のあるべき姿については、

「生産物の總ては諸神の恩恵に依るものと思はれた……其の供物も單なる呪物ではなく、謝禮物、分配物、乃至は租税ではない。それは生産物の一部であるにも拘らず全部を代表する初穂であり精分であつて、正しく奉還思想の根本をなす奉納観念の表現であり……我等は奉還思想の由來と、それを基礎とする日本的所有観念とは如何なるものであるかを識るべきである……奉還思想を基礎とする經濟制度こそ國體的制度であり此の制度を國民經濟の理想とするところに日本國體の特質があるのである」

すべての生産物は神の恩恵であり、奉納観念の表われであるとし、日本的な所有観念は奉還思想に基づくべきであり、これに基づく体制こそ国民的理想の経済体制であるとする。

それゆえ、昭和維新運動を進めていくにあたっては、中国の王道的王民思想とは明確に区別すべきであり、またナチスドイツやイタリアのファシズム経済政策を真似て、日本的奉還思想に基づく経済政策を批判するような日本主義者がいるのであれば、その論説を改めなければならないと論じている。

そして、高次的タカマノハラを地上につくり出すためには、奉還思想と赤子思想に基づく経済政策の展開を徹底させねばならないと考えていた。

第三章　奉還思想と赤子思想

一、奉還思想と赤子思想とは

本題に入るまえに、奉還思想と赤子思想について説明をしておきたい。タカマノハラの世界は、赤子思想と奉還思想のもとに構成された君民一如、搾取なき母権親和共産制社会だった。

奉還思想とは、私有制が存在しないタカマノハラ社会で、すべてのもの（資本や土地など）を天皇へ奉還することだ。なぜ天皇へ奉還するのか？　天皇御統治の御本質は、「国の平安、国民の安寧」をお祈りあそばされる無私の御心に基づいたマツリゴトである。独裁的思想や権力者的本質がなく、天皇と国民とは、歴史が培ってきた強い民族的な絆で結ばれているからこそ安心して奉還できるのである。

赤子思想とは、天皇のもと、すべての国民が平等であるべきという考えである。あたかも母親が赤ん坊に接する、優しくも慈しみのある関係性を、マツリゴトの概念に適合させた思想なのだろう。つまり、すべての国民を対象に慈愛溢れる政治（マツリゴト）を執り行っていくのである。資本主義下の階級の二極化（ブルジョア階級とプロレタリア階級）のような階級区分など一切認めない。

奉還思想と赤子思想は、高次的タカマノハラの展開を語るうえで重要な思想であり、資本主義制度を超えた新たな制度を構築していくうえで、天皇と高天原（国体の淵源）に変革維新の原基を求めている。

二、日本的皇産主義と奉還思想

『奉還思想を基礎とする日本的皇産主義（二）』（二十二号　**昭和十年〈一九三五〉十二月二十日**）は、ローマ法的資本主義とロシア的共産主義を超えて、我が国体の思想を明らかにする日本的皇産主義思想を論じている。つまり高次的タカマノハラの展開のことであり、唯物論と唯心論を超えた思想的境地を創造していくのである。

この時期（昭和十年）、国体明徴の一環として「皇道経済」のスローガンが叫ばれていた。「皇道経済」と言っても「皇産経済」とは言わぬところに何か不純な思想的意図があるのではないかと勘繰りたくなる。資本主義を基礎とした制度では「皇道」といえども、国体思想に合致せず、国体を明らかにすることができない。なぜか？　それは資本主義が私産制を基礎としているからだ。国体の淵源であったタカマノハラの世界は公益に基づいた皇産制であり、私益に基づく私有権が認められない社会だった。

だから真の皇道経済たるには資本主義は否定すべきである。当然、資本家らは資本主義私産制を認めない皇道皇産経済制度には反対するだろう。

「所謂皇道經濟論を所詮は私產的基礎の上に立てようとしてゐるのだ。だから彼等の皇道

は歪曲されてゐるといふよりも、それが私産的基礎に立つ限り元來皇道經濟ではなく同胞を欺瞞するための美名に過ぎない」

ブルジョア的な皇道経済は私産制度に基づくものであり、国民を欺く詭弁であると断ずる。真の皇道経済は資本主義的私有制に基づいてはならないとし、奉還思想を基礎にした体制こそが皇産経済なのだとする。

では、なぜブルジョア階級たちは「皇産経済」と言わないのだろうか？

「彼等が自己所有の資産を皇産として承認し得ないからだ。何故なら彼等はその個人主義的自由主義的な思想から自己の現に所有する資産が日本國體と如何なる關係にあるかといふやうなことは本氣に考へもしないし事實彼等はその資本をもつて同胞搾取と不合理なる經濟組織をつづけてゐる」

資本家たちが私有権に執着して皇産権を認めず、国民大衆を搾取する資本主義経済制度を維持しているからだ。資本主義の論理は、飽くなき利潤、営利の獲得である。そこから搾取、疎外、不労所得など不公平の問題がでてくるのは当然だ。

資本主義を排して国体の論理に沿う皇産、皇道経済制度をつくるうえで必要なのは何か？

「もしも彼等が自己の資産を皇産として承認するならば直《ただ》ちに、それによる非國體的同胞搾取を廢し日本産業の眞の合理的發展のためにそれを奉還せねばならぬ」

「彼等」とはブルジョア階級のことだ。私産を皇産と認めるならば、我が国の経済発展、国民生活の安定のため、搾取と疎外を生み国民大衆を苦しめてきた資本主義体制を廃し、すべての所有権を奉還すべきであるとする。

では、ブルジョア階級たちの私有権と皇産経済思想の相違は、どのように認識されたのか？

「私有権は皇産意識の埒《らち》外でローマ法的自由を主張し他の無産同胞の國體的自由をふみ荒してかへりみぬ即ち彼等は犯さるる事なき所有權と處分せらるべき所有權とを本質的に別個のものの如く考へその何れもが國體的皇產思想の上にあつて奉還性を核心とせるものなることを認識或は承認してゐない」

資本家、地主らブルジョア階級は、ローマ法的所有権に基づく資本主義制度のもと、多くの国民大衆を搾取して国体を踏み荒らしていると捉え、私産的所有権と皇産思想との意識の違いを明確に提起する。ローマ法的私産制度を主張する限り、皇産意識がうまれることはない。

続けて、**「日本臣民の所有權奉還性を輕視し無視する感情と議論が資本家によつて強調される」**と論じ、ブルジョア階級たち権力者が、私的所有に基づく資本主義思想の観点から奉還思想に基づく皇産経済思想を認めないのは当然であると言う。では、我が国柄に応じた理想の国民の所有権とは如何なる形なのか。それが奉還思想に基づく皇産制度である。

「當面公益のために處分されるべきものと否とに不拘《かかわらず》、絶對に皇產思想を基礎とし奉還性を核心とせるもの、即ち極めて狹義に理解される資本主義的公益と法律によつて制限される

のではなく、法律上私有として認められるものも之を根本的に國體的に理解すれば日本の資生産業の總ては奉還財であつて寧ろその所有權は廣義の公益のために管理使用等の義務を附與されてゐる筈だ」

皇産思想に基づいた奉還財、所有権のあり方について、すべての国民は奉還財を公益のために共同所有し、統制、計画、調整、均衡に基づきながら、民族共同体発展のため有益に活用すべきである。そして奉還財と皇産制に基づく国体制度を構築するには、私的所有に基づくブルジョア階級の資本財を公益のために正す必要があるとして、

「階級的跛行的僉惡度を高めつつあるブル的資本の一切を國體的公益のために處分するに何の躊躇も要らぬ筈だ。そしてその一切の資本を奉還せしめその私産的機能を癈し皇産的機能を發揮せしめることによつて始めて國民生活は安定向上し同胞愛に充ちて繁榮し得る筈だ」

ブルジョア階級の私産一切を処分して、それを国体の公益に奉還し、共同所有、共同使用することで皇産経済が力を発揮し、国民生活が安定向上していくであろうと主張する。

日本的皇産主義の経済機構は、公益性と奉還思想が基礎となる。私益性、私有制を基礎とする資本主義経済機構とは相容れない。皇産経済論は、また本来は皇道経済論も、資本主義制度のもとでは成立しえない経済的思想である。公益性、民族共同体を重んじた奉還思想に基づく国家社会主義経済制度こそが真の皇道、皇産経済制度なのだ。

ならば資本主義体制のもとマツリゴトを司る政治家を、どのようにみていたか？

「國民大衆に同胞生活を要求し乍ら資本家共に對しては奉還財の認識明徴に努めず、經濟的跛行生活の上に思想の安定を求めんとするの笑ふべき欺瞞を行ひつつある」

資本家たちと同じく奉還財を認めていないと断ずる。こんな政治家は建前上、国民から選ばれていながら、実はブルジョア階級の利益のため働く代弁者なのである。そう考えると、彼らが奉還思想と皇産制度を認めないのも当然のことだ。

私有権に基づく欺瞞に満ちた資本主義経済制度を打破して、国民生活の安定を図るため、皇産的皇道経済制度の構築のために奉還運動を展開すべきであり、資生産業等の所有権を天皇に奉還すべきだ。

「同胞大衆は速《すみやか》に私産的皇道經濟なる口頭禅的欺瞞を看破し、茲に一大奉還運動を展開して皇産主義経済機構の確立につとむべきだ。勿論、皇産をもつて資本主義的私産と同視する如きは日本國體の本質を知らざるの甚だしきものだ。全臣民の奉還財の對象は『天皇』であり、その道は『神ながらの道』である」

天皇は、歴代をつうじて「国安かれ、民安かれ」と世界平和と国民の安寧をお祈りあそばされる無私の御心をお持ちになられてきた御存在なのである。三年間、課役免除を実行された「民のかまど」で有名な仁徳天皇のまつりごとをはじめ、歴代天皇は天変地異により民の生活が苦しくなれば救済策、救恤《じゅつ》策を施され、多くの慈しみ溢れるまつりごとを執り行われてきた。それは歴史や詔勅、御製から拝することができる。
これが天皇御統治の本質である。決してスターリン、毛沢東、ヒトラーのような諸外国の歴史にみられる権力者的要素や独裁的思想など毫もない。だからこそ皇統は連綿と続いてきた。加えて天皇は、民族共同体の中心として国民と強い絆で結ばれている。したがってすべての財を奉還する根拠となり得るのである。

マツリゴトの歴史的な展開として、原始同胞的共産的社会は祭政一致だったが、私産的制度の発展にともない祭政分離を来《きた》したとみる。

「個人的私産的政治分野の王座に同胞的共産的な祭事思想を具現して、即ち赤子思想と奉還の對象として君臨し、民衆の意識するとせぬに不拘、その個人的私産的生活の非社會性の中に在つて同胞的共産的社會性の往還《おうげん》廻向《えこう》の中心として存續されたのが現身神としての天皇である。それは實に民衆の意識以上に強く深く潜在する社會的本能の歸趨の對象であつた」

私有制度が発展し社会経済制度が変化してきても、赤子思想と奉還の対象として天皇の存在が存続してきたという。我が民族の中心的御存在であり国体の淵源である天皇へ私産を皇産として奉還する。そのうえで展開されるマツリゴトこそ高次的タカマノハラの展開なのだ。

「日本民族のほこりたる奉還運動に反對する者は祖國日本を離れよ、非國體的憲法學説によつてそのブル的所有を主張する者は祖國日本を去れ、同胞大衆は民族的一大奉還運動を展開して資本主義を廢絶し日本的皇産主義經濟制の確立に躍進すべきだ」

搾取も疎外も差別もない一君万民の理想郷である高次的タカマノハラのマツリゴトを地上に建設すべく、資本主義を廃して、奉還思想に基づく皇産経済制度を構築する国民運動を積極的に展開していくべきだという。

三、日本的皇産主義と皇道経済

続けて『**奉還思想を基礎とする日本的皇産主義**（二）』（**二十三号　昭和十一年〈一九三六〉一月二十日**）をみていこう。（一）では奉還思想を基礎とする日本的皇産主義の思想の概略を論じ、（二）では実業家で衆議院議員の久原《くはら》房之助《ふさのすけ》を典型的な「資本主義的政治家」として、久原の「皇道経済」論を批判する。久原の唱える皇道経済とは如何なるものであったか。

「國家は民間の經營する一切の重要産業を統一し、それに所要の資金を五分利程度の交附公債をもつて出資して官民合同の營利會社を組織し、その運用を民間の株主に委せ、他方、一切の官營事業をも官民合同出資會社として同じく民間株主の經營とする……勿論出資者にして保護者たる國家に利益の半分を提供するといふのだが、それは皇道でなく商道では當然として行ふてゐることだから敢ていふに當るまい」

国家社会主義思想の観点からみて、国家が民間重要産業を統一するまではいいのだが、結局は官民合同の営利会社であり、公債や株主の出資による経営など修正資本主義による国家統制経済組織のもとでの皇道経済論だと指摘する。

本来の皇道であれば問題ないが、そうではなく、商道に基づいており、資本主義と同じだ。これでは資本主義の弊害（搾取や階級対立など）を克服できず、結局は皇道という名の国体の理想に反する資本主義の温存策、権力者の延命策であり、到底、国体に合致した日本的皇産主義経済組織だとは言えない。

続けて久原皇道経済論について三点（皇道と営利の関係、営利と能率の関係、能率と官営の関係）の問題を提起する。

「第三の能率と官營の關係から見れば、勿論現時の所謂《いわゆる》お役所仕事は概して能率が上らぬ、然《しか》し乍《なが》ら、それは官營だから上らぬのではなくて組織に缺陥《けっかん》があるからだ……第二の營利と能率の關係にしても營利でなければ能率が上らぬといふ結論はまさしく資本主義的結論だ、國營事業であり、非營利的な日本軍隊ははたして軍事能率を上げてゐないか、純情なる兒童生徒等《ら》ははたして修養能率を上げてゐないか、善良なる無産同胞大衆は實に營利のために勤勞してゐるのではなく、想へば營利以上のもの丶ために勤勞してゐるのだ……第一の皇道と營利の關係だが、前述の如く久原氏は日本の重要産業の一切を官民合同資本としてそれを營利的民間經營にせよといふのだが、それでは皇道經濟とは國家資本を資本家に貸與《たいよ》し、その利益にて財政を行ふものと云ふことになる」

たびたび述べてきたように資本主義＝営利至上、自由放任、搾取だ。営利の追求が文明の発展や生活の向上に寄与してきたのは事実だが、物事にはメリットもあればデメリットもある。はてしなき営利の追求から自然破壊、人間性の喪失、労働の搾取といった様々な悪影響を国民大衆に与えていく欠陥もある。

営利の追求は無限である。営利の追求（私権性）に偏ることなく公共心、公益性を重視すべきではないか。その境地こそ、資本主義や共産主義を止揚した、高次的タカマノハラの世界観であるという。

ここで久原の皇道経済論を「**資本家共が國家に資本を下して國家の名によって統制し營利するまでに到つてゐない**」低級国家資本主義トラストだとする。

皇道経済は営利の精神ではなく、奉還思想を基礎とした皇産主義経済で成り立つ制度である。

「主要動力、支配精神は私産的營利思想ではなくして實に皇産的奉還思想だ、従つて皇産主義にあつては國の一切の重要産業は擧げてこれを奉還せしめ、同胞大衆の勤勞は何者にも搾取される事なく其の結果を『天皇』中心に集散融通せしめ得る如き經濟機構を確立せんとする。勿論その機構の主要動力は營利精神ではなくして奉還精神である、然而《そうして》、奉還精神こそ實に日本同胞を赤子とする『天皇』彌榮《いやさか》の喜びに輝く國體的精華であり此《この》精神こそ全同胞をして勤勉せしめ生産能率を遺憾なく發揮せしめるものではないか」

何度でも述べるが、真の皇道経済は奉還思想に基づくものである。営利の精神がある以上、いくら皇道経済と唱えようと、所詮は資本主義の本質を隠した偽善的理論であり、詭弁にすぎない。だからほんとうの皇道経済を確立するには資本主義、営利精神の根絶が前提になるのだ。

また久原は、世間で産業と土地の奉還が唱えられているが、これらはソ連の政策と同じであり、天皇親政の名目で共産主義を実行するのと同じではないかと批判していた。これに対しては次のように反論する。

「日本國體の淵源高天原のマツリゴトが如何《いか》なるものであり、日本精神の基本思想たる赤子思想と奉還思想が如何なるものであり、聖徳太子の土地國有策大化改新の土地國有斷行、或《あるい》は明治維新の藩籍食禄奉還が何んであるかを、眞實に國體的に考察したことがあるであらうか、然《そう》してそれ等の史實をも久原氏は果して非日本的なりとし非難反對し得るであらうか。されば、久原的皇道經濟論と日本的皇產主義はかくも本質的に相反する思想の上に立つものだ」

すべての国民を資本主義的に欺瞞した、思想的にも毒された皇道経済論に騙されることなく、正しい歴史観、国体観に基づいた真の日本的皇産主義、皇道経済論を明らかにすべきだという。確かに、大化改新では土地国有化策のため氏族制の打破（公地公民制・班田収授法）、明治維新では徳川封建制の打破（藩籍奉還など）によって、国体の淵源に基づいた維新改革を断行してきた歴史がある。

昭和維新の目標は、資本主義の弊害の打破による国民救済と、西洋思想・文化を超克して日本的思想に回帰することであり、資本主義の欺瞞に隠れた皇道経済論ではなく、真実の国体思想に合致した赤子思想と奉還思想に基づいた経済制度（皇産主義であり、資本主義、共産主義の超克、止揚）を確立してゆく、その思想的原点を原始的タカマノハラにもとめながら、時代に応じた高次的タカマノハラ的世界観を展開していくことが日本的皇産主義思想なのだった。

四、高次的タカマノハラと奉還思想

次に『**君民一如搾取なき高次的タカマノハラを展開せよ**』（**十七号　昭和十年七月三十日**）から「奉還思想」のくだりをとりあげよう。

資本主義の発展に伴い、資本家や地主などの権力者階級が、我が国本来の正しい「神の国」の高天原的世界観を喪失させていた。

しかし彼らは自分たちの存在を正当化しようと、「高天原」の世にも私有権は存在したと主張しているのに対して、その論拠は偽であり、「**天照大神とスサノオノミコトとの田地に就ての争ひは、後の時代の歴史家が、その時代の世の有様をそのまゝに書きつたへたものだ。タカマノハラに限らず世界の何處でも、中心母性が赤子等のためにマツリゴトを司つた農業**

の發展時代に今日のやうなブルヂヨア的私有財産なんかまだまだレントゲン光線で見たとてあるものか」と断じている。

「高天原」では、すべての民が生産物を「神の物」と観じていた。

すなわち、すべての物は祭政一致のマツリゴトによって生みだされており、ブルジョア的私有物などありはしない。

いくらブルジョア階級が高天原にも私産制度が存在していたと言い張っても論理的に証明できないばかりか、日本の古代人は、

「自分自身さへも、自分では何事もなし得ぬ神の物だと想つてゐたのだ。すべてはマツリゴトによつて生み出されたものだ。従つてすべての物は、時には自身さへも神の前へ奉納せねばならぬ。すべての物は奉還思想の上に惠まれたる使用物に過ぎない」

「今日でも地方によつては土地共有のところもあるが、古い時代には全部が神の物であつたのだ……古い時代にはムラ毎に共に耕し共に納め共に神の赤子として要に應じて分配を受けてゐたのだ。更に後世になつても、各ムラごとに毎年か隔年か、ともかくも時を定めて神前に集合して、地割りをして各人の耕地を定めた習慣は今も各地に遺つてゐる」

そして「奉還」の日本史上における意義について「**大化改新も明治維新も、この奉還が大きく國家的に行はれたものだ**」と述べて、「**『かみつ代の國のすがた』を傳へた國は他にない。人類社會の順調なる自然的な發達展開を日本に見よ。この神ながらの道こそは實に古くして、**

また新しき人類進歩の道である」とし、「かみつ代の国のすがた」の世界的展開こそが人類発展の道だという。すべてはタカマノハラの道に通じる、と。

第四章　資本主義批判（ローマ法的所有権の打破）

一、資本主義、ローマ法的所有権の批判

大日本国家社会党および「街頭新聞」は、なぜ資本主義制度に反対するのか？　それは、国体の淵源であった高天原の世界観、奉還思想と赤子思想に基づく一君万民の社会と異なるからである。資本主義の下ではブルジョア階級とプロレタリア階級に分かれ、搾取と貧困、疎外などに多くの国民大衆が苦しめられている。

資本主義制度の基本となるローマ法は、いつ頃できたのか？　ローマ帝国の時代である。以降、ローマ法は、歴史の進展とともに欧州や日本の法律制度に大きな影響を与えていった。ローマ法の特徴は、所有権とドミニウムであり、個人による私有財産の所有が認められていた。ローマ法的所有権に基づく資本主義制度こそが、搾取、貧困、疎外、富の独占などを生み、国民大衆を苦しめる制度だと規定している。

しかし、資本主義が人類の進歩に貢献したことも事実である。人間が生活の功利性、利便性の向上をもとめたことで、科学技術などの発展につながった。その反面、自然の破壊、人心の荒廃、拝金主義の横行、人間の機械化、疎外、人間性の喪失など様々な諸問題を抱えることにもなった。

資本主義は永遠に続く制度ではない。いつかは必ず制度上の歪みが生じて、新しい制度に代わるべきときが来る。

だからこそ資本主義制度（ローマ法的所有権）を倒して（ブルジョア私有財産の廃止、搾取の根絶、疎外の克服など）みな楽しんで働き、助け合い、公平な富の分配を行う皇産奉還思想、相互扶助による民族共同体（高次的タカマノハラ）をつくっていこうとの強い想いから昭和維新運動を展開していった。

アメリカのルーズベルト大統領が「富の再分配」策を議会に要求したことをとりあげた『**無産大衆の福利増進のため――資本家に増税十億ドル**』（**十六号　昭和十年六月三十日**）では、

「**その案は富豪と大會社に對して一年に十億ドルの増税をなし其れによつて無産大衆の生活を幾分でも安定せしめんとするものであつてルーズベルト氏は『富の分配の不公平は社會不安を深刻化し、國民生活を、危地に陥れつゝある』と力説してゐる**」

と書き、富の分配の不公平感の払拭に向けた一歩として、勤労大衆からは拍手喝采だったと伝える。しかし、ブルジョア階級の代弁者がいる議会は、どのような反応をするのだろうか？　甚だ疑問だと続ける。

一方、我が国では高橋是清蔵相が「増税せぬ」と言明してブルジョア階級を安心させていることへの批判が綴られる。

「**増税せずしてブル共を安心させるよりも、増税しても國民生活を安定させてほしいものだ。ブル共に増税せぬことだけが能ではない。我等も政府に『富の再分配』を要求する。相續税、遺産贈與税、個人所得税、法人所得税に對する税率の高度なる累進税引上を斷行せよ…少**

くとも陸軍パンフに示された程度の政策が遂行されなければ駄目だ。それが出來ねばせめてはルーズヴエルト式に我國のブル共にも十億圓くらゐの増税を斷行せよ」

資本主義制度を改めること（農山漁村救済のため資本主義打倒を唱える陸軍パンフレットの主張）、公平な富の再分配策の実現を強く要求している。

経済学の理論や法則なんて難しくてわからないが、無いところから搾り取ったって景気は良くならない。有るところから取るのが先だろう。なぜ公平にしないのか？　こんなところが為政者にもとめる庶民感情だろう。

民族が経済の危機に直面したとき、経済の諸制度を点検し不備を改め、「相互扶助」精神で補い合い助け合うことが肝要ではないのか。為政者には、私利私欲の飽くなき欲望を捨てて、常に国民のことを念頭に置いた公正公平な政治を執り行うことがもとめられる所以だ。

二、愛国的労働組合の闘争

次に、ストライキを敢行して資本家と闘った労働組合のことを『**非常時日本の緊急時　重要軍需工業の營利的經營絶對反對**』（**三十九号　昭和十一年〈一九三六〉七月二十日**）からみていこう。

当時、東亜情勢が徐々に悪化していくなかで国の軍需体制強化を着実にすすめる必要があった。にもかかわらず軍需産業が、一部の者だけが営利至上をはかれるような体制のままで真の国防体制を敷くことができるのか？　精鋭な兵器を製作できるのか？　準戦時情勢（非常時局の緊急時）だからこそ速やかに挙国一致で国防体制を敷き、軍需産業も営利至上主義（資本主義）を排して、政府は迅速に国営化、共有化に向けて着手せよと訴える記事だ。

名古屋市にあった愛知時計電気株式会社内でおこった争議のことを伝える（この争議には西光万吉も参加していた）。この組合は中部労働連盟に所属していたようで、橋本欣五郎大佐が率いた大日本青年党の支持団体であった。組合は要綱として次のようにいう。

「一、**我等は日本主義に基き、以て産業報國に邁進せんことを期す。**　二、**我等は國防機製作者としての態度の下に相互の結束を促し、生活の向上と社内の明朗化を期す。**　三、**我等は従業員の相互親睦と智徳の向上及び技術の錬磨を圖り以て皇國に報ぜんことを期す**」

そうした組合が起した労働争議だったが（六千人もの従業員が四日間にわたり完全罷業をした）、北支事変の情勢などを鑑み、争議総本部は罷業手段を解除して、労働者は就業するよう指示を出した。

「**實に我等従業員は陛下の勞働者として就業し、資本家の賃銀奴隷たるに反對して爭ふてゐるのである**」

この言葉は日本主義に基づく組合の基本思想を言い表している。すべての日本国民は、等しく天皇陛下の赤子である。その赤子一人ひとりの労力、体力、能力が同じではなく差があるのは当然のことだ。だからこそ各能力が発揮しやすい生産や労働の諸環境をつくっていき、それぞれ適材適所に配置すべきなのだ。

そうして統制と計画、調整と均衡に基づいた国家社会主義経済制度を運営する。そこで得た富を国民に分配していくのだ。だが、国民に富を平等に分け与える（分配）ことは本当に可能なのか？　個人によって性質、能力、体力、嗜好性などで各自の差が生じることを考慮すると、平等分配は不可能かもしれない。そこで各自への富の分配に一定の制限や規定を設けて、各自に選択してもらう公平な分配制度つくる。こうしたことの積み重ねから民族および国家は最高の発展を推し進めていくことができる。それが日本民族共同体の理想的社会であり、高次的タカマノハラの展開であった。

だから一部の資本家、地主らが大多数の労働者、農民を賃金奴隷として搾取するような社会制度（資本主義）は受け入れるべきではなく、改革を成し遂げねばならないのだ。

愛知時計の争議団は名古屋市公会堂で経済報告演説会を催し「**全軍需工業の營利的經營絶對反對**」を決議したようで、争議発生の原因を「**個々の條件はしばらく措き、根本的には實に最も國家的なる事業が資本家によつて私有され營利的に經營されて居る事である。資本主義は皇民大衆を賃銀奴隷化せずにはおかぬ、そこに陛下の勞働者たるの誇りを潰される従業員の鬱憤がある。資本主義は事業を營利的に經營せずにはおかぬ。そこにローマ法的所有權の主張があり皇產の私財化がある**」としている。

「陛下の労働者たる誇り」――この言葉につきる。すべての国民は陛下の赤子である。農民も「陛下の農民たる誇り」があるだろう。商人もサラリーマンも同じく「陛下の商人、サラリーマンの誇り」をもって民族共同体の向上発展のため活動するのだ。

資本主義のもとでは皇産も分用されず私有化される。私益が公益に勝る制度では民族の発展は望めない。

資本主義を変革して日本民族本来のタカマノハラのマツリゴトを展開することが昭和維新運動最大の目標だった。

ましてや準戦時体制の状況下では、軍需産業をはじめ諸重要産業から営利性を排して、国営化することで挙国一致体制を敷くべきである。北支事変をはじめとする国内外の諸問題を乗り越えていくには、民族の一致団結が必要だった。そのためにこそ営利性を排し、資本主義思想を変えていくことの必要性を訴えたのだった。

『新勢力』昭和四十二年（一九六七）十月号に『**愛知時計労働争議顛末記**』を中田竜三（本名は楠本正三）が寄稿されているので紹介しておきたい。争議の発端から経過、思想背景など詳しく論じられている。

「このような思想経過を辿りつ、訓練された我々は『皇国・皇民・皇産』の旗印の下に、大工場の労働者を組織することに全力を傾注する方針を決定していたのであるが、この組織化に先ず成功したのが名古屋の同志達の努力による愛知時計の組織であったわけである。この『皇国・皇民・皇産』の下にローマ法的私有財産制を否定し、皇産分用権を主張する思想が愛

知時計争議の際『軍需工場の国営化論』となって現われて来たものである」

愛知時計争議の意義を「皇国・皇民・皇産」のもと皇産分用権を主張した愛国的ストライキだったと定義している。

三、労資協調論、労資一体論、公武合体俗論の批判

労資協調政策は、資本主義制度の維持延命策、ブルジョア階級の利益確保策であり、幕末の公武合体策も思想的には同じ内容だ。俗論である公武合体論を打ち破り、国体の理想社会を実現していくには如何にすべきか？　**『公武合體的俗論を排し皇國、皇民、皇産の理想實現の爲めに』**（**三十九号　昭和十一年七月二十日**）と題する論考をみていこう。

この論考には日本労働組合総連合の脱退声明書、宣言、決議、西部労働連盟綱領と結成宣言を引用しており、総連合を脱退した理由や新労働組合の主張を展開している。

日本労働組合総連合が主張する「労資一体論」は、資本主義側に立つ日和見主義的なものであり、公武合体論や労資協調論思想と内容は同じで、日本主義的な主張ではないという。ならば、日本主義に立つ労働組合とは如何なるものなのか？

「畏くも上御一人に對し奉る絶體的奉還精神の現代的表現であり、勿論反國體的資本主義社會機構における所有權とは明確に對立すべきであります」

上御一人とは天皇のことである。この世のものはすべて皇産であり、一切の営利至上の個人主義に基づく私有は許されず共同所有される。そして天皇の大御心（国、民の平安と安寧を祈り給う）に副うマツリゴトを展開する範囲内で分用を認める（皇産分用権）のが奉還思想の一大要素だった。

総連合が主張する「労資一体論」が日本主義的でなく支持できないとして連名（大阪合同労働組合、広島愛国交通労働組合、奈良瓦工組合、中部労働連盟）で脱退声明書をだした。

なぜ総連合の「労資一体論」路線に反対するのかを論考で詳しく述べている。

「主張する『労資一體論』は明確に資本主義に對する妥協的イデオロギーであり、修正主義改良主義以外の何物でもないのであります。かゝる俗惡なる改良主義に依る實践は組合經營主義以外一歩も出ず、即ち彼の亡國社大黨の信奉する三反主義と五十歩百歩の理論であり、何等資本主義を根本的に打倒し更に全面的な革新を斷行する指導理論とはどうしても思ひ得ないのであります」

社大党とは社会大衆党であり、三反主義（社大党のスローガン）とは「反資本主義、反共産主義、反ファシズム」だった。総連合を抜けてからは、非大衆的小児病的運動、反人民戦線、反ファッショ運動を排して、日本主義「皇国、皇民、皇産」に基づいた組合運動、大衆運動、昭和維新運動を展開していくという。

ここで一貫して批判している「労資一体論」は、労資協調論と同様の思想内容であり、資本主義の欠点を修正して、資本主義制度の延命を図っていく妥協的イデオロギーである。つまり資本家、地主の所有制度、搾取制度は撤廃されるどころか維持されてしまう。日本民族のマツリゴトの理想には資本主義は合わず、営利至上主義に基づく搾取や疎外や私有は許されない。高天原の理想社会を実現するためには、資本主義制度の延命を図る労資協調論や一体論を認めるわけにはいかないのだ。

四、ブルジョア的日本主義、ローマ法的所有権の批判

『高次的タカマノハラを展開する皇道経済の基礎問題』（八号　昭和十年一月十日）では、ブルジョア的日本主義者とローマ法的私的所有権の関連性からブルジョア日本主義への批判的論拠を次のように示す。

「個人主義、自由主義の上に立つ現行私法が物を支配するのみならず人を壓迫するに到った今日、その僭主的、獨占的所有權に對して國家の公法々規に依る干涉制限が許されるとすれば、私法上に國體論を担ぎ出すこともまた許されるべきではないか……ブルヂヨア的日本主義者はそのブルヂヨア的の故に竟《つい》に重視すべき民族的特性を忘却したのであるか。更に、ローマ法的所有權が、ネロの如き暴君的地位にまで進化せる現在に於いて「日本臣民は、その所有權を侵さるゝことなし、公益の爲め必要なる處分は法律の定むる所による」てふ憲法

二十七條の伊藤博文の義解…に満足の意を表する如き日本主義者もまた前述ブルヂヨア的日本主義者に似たる事情、即ち私法上の問題に非公益論を出すべからずてふ過誤に堕せんとするものである」

資本主義は発達するにつれて、物だけではなく人まで支配するようになる。ブルジョア階級が支配するこうした体制が確立されつつある流れのなかで、先人が歴史を通じて伝えてきた民族的特性を忘れてしまったのかと嘆く。

また伊藤博文の著書『憲法義解』から帝国憲法第二十七条の解説箇所の一部を引用して（所有権の箇所から）、これに同調する者もブルジョア的日本主義者と同類であると主張する。

続けてブルジョア的日本主義者の考える所有権を細かく批判する。

「『各個人民の所有はその身體と共に國權に附屬の義務を負ふ』てはゐるが、その所有權を制限すべき根拠が『公益』であるところにブルヂヨアの乗ずる餘地を有つ。即ち、勤勞大衆が政府或は資本家、地主等に要求するところの正當なる經濟的條件も、それが一階級の利益なるが故に公益ではなく、ブルヂヨア的企業も營利の對象が勤勞大衆である故に明白に公益であると解せられ、また、無產大衆に對する一切の社會施設もブルヂヨアの利益を損せざるは勿論、間接的利益を伴ふ限りに於てのみやうやく公益と認められるに過ぎない事實が多い」

ブルジョア階級は自分らの都合のよいように公益を解釈しているとして、ブルジョア的所有権の本質を説く。

さらに資本家、地主らによるブルジョア的所有権（ローマ法的所有権）の支配が国民大衆に及ぼす悪影響について、

「**所有者の獨裁的處分力を本質とするローマ法的所有權が、現在の如く大産業資本及び大金融資本を驅使する時、反つて最も恐る可き所有權の侵害が間接的に勤勞大衆の零細貧弱なる生産用財産にさへ加へられ、今や勤勞大衆のすべては、やむなく其の貧弱なる生産財の所有權を放棄してプロレタリア化しルンペン化しつゝある。この事實は、かの所有權を制限するてふ公益とは如何なるものなるかを現實に於て明白にしてゐる。即ち、事實上ブルヂヨア的公益が勤勞大衆の零細なる所有權を完全に制限してゐる**」

一部ブルジョア階級の所有権侵害（一部の者が利益を被り得をする仕組み）が、国民大衆の持つわずかな生産用財産にまで及ぼされて所有権を放棄することになり貧困化していく。まさに、現代の経済格差拡大の社会構造に相通じていないだろうか。

ローマ法的所有権を主軸に支配体制をうちたてたブルジョア階級だけが利益の恩恵を受ける経済社会制度システムが、いかに大多数の国民大衆の所有権、財産に甚大な悪影響を及ぼしているかを痛感させる。

ここまでブルジョア私的所有権批判の論考をみてきたが、端的に言うと、ブルジョア的所有権を改め、日本的所有の理想的形態である奉還思想に基づいた経済社会制度をつくるべきとの主張であり、その想いを次のようにまとめている。

「ブルジョア的所有權は『自然法學に於けるが如く、絶對完全なる所有權として天賦的法而上的に存在し』即ち『日本臣民はその所有權を侵さるゝことなし』であり『國家は必要なる場合に其の所有權を制限するに過ぎない』即ち『公益の爲め必要なる處分は法律の定むる所による』の如きブルヂョア的所有權至上主義は、正しく國體的理想制度としての日本的所有權とは云ひ難い…即ち『公益のために必要なる所有は法律の定めるところによる』ものとして、日本臣民の所有權は明白に奉還思想を基礎として規定せらるべきものであらう」

「公益務が所有權の上に位し、その所有權が義務的に轉化する時、それは實にローマ法的ブルヂョア的所有權と區別さるべき日本的所有であり此の上にこそマツリゴトは確立せられる。従つて、かの伊藤公の憲法義解に満足して、それを國體的なりと解する如き日本主義者は、自らのブルヂョア性を反省すべきではなからうか。従つて、高次的タカマノハラを展開せんとする皇道經濟は明白に此の基礎の上に確立せられねばならぬ。そして、それは、およそローマ法的資本主義的經濟性とは正反對なる經濟機構を建設せねばならぬところの基礎である」

繰り返し、ブルジョア階級が支配するローマ法的所有権を廃絶すべきだと主張する。では、共産主義者、社会民主主義者らが言うように、大多数のプロレタリア階級に所有権を奉還すべきか。違う。すべての所有権は天皇に奉還すべきだ。

いくら資本主義打倒を叫ぼうとも、ブルジョア階級も民族同胞の一員であり、天皇の赤子であることにかわりはない。ブルジョア階級の所有権をなくならせようとも、その階級にいる同胞を排除しようなどとは考えもしない。一部の者が所有権、生産体制を独占して利益を享受するような不公平な経済体制を改めようとするばかりである。だからブルジョア階級も自らの所有権を奉還して、高次的タカマノハラの公平な皇道経済体制の構築のために協力すべき時が来ているのだ。

歴代天皇の祈りであり大御心である「世界の平和、国民の安寧」。その祈りと大御心の実現に向けて昭和維新運動は、国民解放の闘いを実践し続けたのだった。

第五章　国家社会主義的産業組合

一、国家社会主義的産業組合の思想

『農村に於ける總合的單一産業組合に就て（一二）**』**（一二号　**昭和九年九月二十日**）は、正しい国家社会主義的産業組合のあり方、国家社会主義的経済機構として展開していく基本思想を論ずる。

「反営利的統制機能の故に即ちその反資本主義性が今日産組の存在理由である限りそれを資本主義的社會政策としてのみ展開せしめんとすることは自ら無理がある」

「資本主義的矛盾を解消するためには當然資本主義的社會政策としての限界を超越せしめ社會主義政策にまで發展せしめねばならぬ」

資本主義は自由放任主義、営利追及主義、私有化（私的所有権）を基本とした制度である。国家社会主義は計画、統制経済、国有化、共有化（皇産分用権）を基本とした制度である。両制度の社会経済制度は異なる。

国家社会主義的産業組合の基本思想は、反営利至上主義、反資本主義である。ゆえに国家社会主義的経済制度のもとでは資本主義的社会政策を採用することはできない。

ここで社会主義的政策を発展すべきというのは、マルクス主義的社会主義のことではむろんなく、階級思想ではない、民族思想を主体とした社会主義である。つまり日本的社会主義

（天皇社会主義、国家社会主義）だ。

日本的社会主義的政策をすすめていくには、

「産組運動の正しきコースは國家社會主義經濟機構の發展以外にあり得ない……我等はただ君民一如搾取なき新日本建設のための一工作分野として産組國社化の當然性を主張するのみである」

搾取、貧困、疎外、差別といった資本主義的諸矛盾を止揚した、君民一如（天皇と国民が一つになった民族共同体）搾取なき新日本を建設すべく国家社会主義的制度を構築していく、その一端として国家社会主義的産業組合の役割は重要だというのだ。

そこで、産業組合の現状、問題点、本来のあり方を論じた**『国家社会主義経済機構の基礎単位として農村における総合的単一産業組合を展開しよう』**（**三号付録号　昭和九年十月十日**）をみていこう。

我が国では明治三十三年（一九〇〇）に産業組合法が制定された。資本主義のもと中小零細企業を救済する目的で制定された法律であり、協同組合の基本的要素が盛り込まれていた。これによりアジアではじめての産業協同組合の設立となった。

昭和九年（一九三四）段階の国内産業組合の現状は、組合数約一万五千、組合員数が五百十二万人、うち農村産業組合数が一万三千で加入農業者が約三百七十万人。また、組合の運転資金は十八万円（「街頭新聞」紙上掲載の統計数字）。

概要数字をみていると盤石な組織であったように思える。しかし「**表面的な数字に頼り過ぎるな量より質が問題だ**」として、農村で組合が組織されているところが六割位しかなく、それは宣伝、組織の仕方が誤っており、産業組合を間違って認識しているからだと批判する。どのような点で認識が間違っているか？ 貧農にはお金を貸さない、地主や上層自作にとって利益のない場合は動かない、農村窮乏打開のため戦う意思がない、などの点をあげている。本当に困っている農民大衆を救済しないのでは真の組合ではない。

産業組合が高利貸目的や一部の者の利的組合になってしまったことを「**農村の所謂《いわゆる》有力者が名聞と利欲を一荷にして擔ぎ出した産組であつたからだ**」といい、従来の産業組合が行き詰ったことを「**農村不況と闘つて倒れたのではなくて、所謂有力者なるものが、自己の名聞利欲に都合が惡くなつたため……組合を自堕落にしたからだ**」と指摘する。

やがて農民大衆が「**小作組合と同様に窮乏から脱れ出る一つの道**」「**次第に産組を自分のものにし、自ら突進すべき道である**」として産業組合の真の意義に気づくよう促している。

政府は昭和八年（一九三三）に、農村対策の一環として農村自力更生運動を発表。また産業組合拡充五箇年計画が公表された。五箇年計画の中身は全農村に組合を組織すること、農業者全員を組合員とすること等であった。この計画について「街頭新聞」は「**事實相當の成績を擧げてゐる**」としながらも、「**農民大衆は深刻な窮乏のドン底へ轉落をつゞけてゐる**」という。また匡救《きょうきゅう》土木事業や米穀統制法も大衆にまで効果が現れていない（企業や商人、地主など一部の者しか潤っていない）とし、都市ではインフレ景気で儲かっているのに、農村では「**俵一俵の拂下米《はらいさげ》さへ税金滞納のために差押へられたり**」と、都市と農村の景気状況の違いを指摘する。

このような状態から農民を救う道は「**地主に對する小作米輕減運動のみ**」だという。農民大衆が窮状打開の道として小作組合運動を展開すると、輕減運動から耕作権運動に発展して「**土地返還を要求する地主と耕作權確立を要求する小作人とが深刻な争議をはじめることにな**」って階級闘争的な動きに向かうだろうと予測する。

都市と農村間で拡がる貧富の格差の要因として、資本主義の構造自体の問題がある。農村の犠牲のうえに都会が繁栄している資本主義の構造のデメリット部分、制度的矛盾点があるということだ。

実際に農民組合は「**現今の様に有産者のために組み立てられてゐる資本主義的經濟機構には反對**」であるとみており、産業組合の本質は資本主義反対であるべきだという。

では資本主義のもとでの都市の繁栄、農村の疲弊という最大の格差問題をどのように解決していくべきなのか。当然、営利至上主義、私有権優先の資本主義的な産業組合のもとでの社会政策では解決できない。

「**農村が此の資本主義の本陣たる都市の壓迫から脱れる道は、決して資本主義農村を作ることではないのだ。……農村經濟を社會主義的に組みかへるより他はない**」

農村の国家社会主義化が解決策だと訴える。そして産業組合が農村諸事業を円滑に遂行したならば、農村社会主義化にむけて立派な役割をはたすだろうという。

もちろん国家社会主義的産業組合は反資本主義の立場から、反営利的統制主義の立場をとらなければならない。農村疲弊の元凶である「営利至上・利益追求」主義を排して、相互扶助に基づく統制、均整のとれた産業組合であらねばならないということだろう。

この時期の国家社会主義者である石川準十郎《じゅんじゅうろう》、林癸未夫《きみお》ら多くの思想家も統制、計画経済思想や土地、資本の国有化、共有化を唱えていた。資本主義を変革する一つの思想として国家社会主義運動が盛んに展開されていた。

統制経済や計画経済という考え方はマルクス主義にも通じるところがあろう。しかしマルクス主義では、高次の共産社会になれば国家は死滅するという。

しかるに国家社会主義では、国家は統制、調整機能として必要不可欠だ。すなわち国家論に明らかな違いが出ている。

二、ファシズム協同組合国家と大日本労働組合協議会の結成

「街頭新聞」では海外の動きとして**『衆議院を廢止して組合評議會の開會　ファシズム組合國家の發生』**（六号　昭和九年十一月二十日）で、イタリアファシズムの協同組合国家を論じた。

イタリア国内で世界史上初の、労使双方が対等に議論できる場として組合評議会が誕生した。他にも、アメリカの新産業政策、ソ連の社会主義政策など、各諸国も経済統制的国策を確立している。我が国でも、陸軍パンフレットを基にした「国体完成として国家社会主義」をめざす一大国民運動を展開していくべきだ、という。

イタリアでつくられたファシズム的組合評議会とはどのような組織か？　ムッソリーニの言葉を引用して説明する。

「イタリー史上に於て最も偉大な仕事であり、また如何なる國の歴史に於ても其例を見ないものだ。そして現代に於ては貧窮は最早避け得ないものとして容認すべきではない、飢餓が人為的に生じて、しかも擴大せられることを放任しておくことは出來ない。その爲めに職業組合は積極的に活動せねばならぬ。そして國民生活のあらゆる部門に亘《わた》つて活動し一般的性質を持つた凡《すべ》ての問題即ち政治問題を検討することにある」

ファシズム的組合評議会が世界で初めての制度であったとしても、結局は資本主義の域をでていないと指摘する。

「資本主義を打倒せねばならぬといふ處までは云つてゐない。そしてファシズムの本質があるのだらう」

ブルジョア階級の権力維持、延命のための資本修正主義、労使協調策、またはファシズム思想に影響を与えたサンジカリズムでは、資本主義下の疎外、貧困、搾取、格差、不労所得などの諸問題から国民を救済できはしない。だから資本主義制度を超克する国家社会主義制度を構築するための明確な国体的国策を確立せよと主張するのだ。

大日本国家社会党は大日本労働組合協議会を結成して実践労働運動にも動き出す。『**大日本労働組合協議會結成**』（**七号　昭和九年十二月二十日**）は、大日本国家社会党全国代表者会議ののち十二月二日に結成された大日本労働組合協議会について論じる。

「**労働組合の特性は勿論日本主義的國體的本質にある。従つて此の組合は先づ資本家もまた我等の同胞なりとする故に争議もまた此の同胞意識に立つて行はれる**」

「**同胞間に於ける階級絶滅のための資本主義打倒であるこの組合は資本家的同胞に對して其の資本家性を剝奪し、その資本主義を放棄せしめることによつて隔意なき同胞として握手せんとするものである**」

資本家も同じ日本国民として認めるが、だからといって労使協議や労使協調、資本主義的社会政策を肯定する組合ではない。資本家階級打倒を目的とした階級闘争を展開する組合でもない。

国家社会主義の目指すべき維新国家観は、搾取、差別、疎外、格差、不労所得なき新日本社会の建設である。資本家も労働者もすべての国民が対等、公正、公平の階級なき同胞親和社会を目指す組合でなければならないのだ。

三、国家社会主義的産業組合の行動

次は政府の諸政策をめぐる産業組合の動きについての論考をみていきたい。『**何故米屋さんが勝って産業組合が負けたか**』（十二号　昭和十年三月三十日）では、政府が提出した米穀自治管理法案をめぐる経緯、本質について記している。

法案が出されると米屋が反対運動をくり広げたのだが、その理由は「**政府案のまゝで通過すると産業組合が、殆ど米屋さんの商賣を横取りしてしまふだらう**」からだとしている。産業組合に階級権益を侵されるのではないかと警戒していたことの現れだ。こうした動きに呼応するかのように、民政党は商人党として、政友会も農村党として、米屋の反対運動に加勢する有様だった。

結局、法案はお流れとなり、産業組合側が負けたことになった。その敗因を「**ブル政府からの硬化動脈が組合の内部へ組み込まれてゐるのだ……組合には政治的訓練が行はれず、政治的組織がないからだ**」として、ブルジョア政党の都合に適ってしまった点を反省するよう促している。

産業組合の政治的組織としての脆弱性を指摘していたが、『**産業組合反對運動の激化と産組青年の任務**』（十二号　昭和十年三月三十日）では、政治闘争の前衛部隊のあり方をとりあげる。

この時期、資本家をはじめ政府までが反産業組合の態度を鮮明にしてきた。なぜか？　それは産業組合が本来の任務を遂行するようになったからであり、産業組合青年運動は「**資本主義のいけない所を部分的に修繕するのではなく、更に一歩を進めて新しい正しい世の中をつくる爲めの運動でなければならぬ……青年聯盟は組合運動の先頭部隊として、かういふ一切の障害を正しく解決して……強い決心をもつて一切の妥協を却けて、飽くまでも資本主義を倒して新しい正しい世の中をつくる**」のだと、第一回産業組合青年連盟全国大会の決議文を引用しながら青年運動の役割と決意を述べる。

『**世の中の組立てが變つて行く　産業組合と中間商人**』（十二号　昭和十年三月三十日）には、産業組合と中間商人の違いを記している。

「**産業組合は社會全體のために仕事をするが、中間商人は自分一人の金儲けの爲めに仕事をしてゐる**」

公共性と営利性の違いか。確かに中間商人は、儲けのために安いものを高く言ったり、あるものをないように言ったりすることもあっただろう。しかし、通信運輸金融調査など、時代の発展と共に中間商人の必要性がなくなり、「**正直に品物を生産者から消費者へ分配するだけなら今日のやうに澤山な中間商人の必要はないのだ**」とする。

また、町田忠治商工大臣が中小商工業者にも組合を作らせようとした動きについて「**飛行機時代を籠時代に戻すことは出來ない**」と書き、時代錯誤的な階級擁護策の欺瞞性を批判した。

『争議が生むだ瓦工組合工場―立派な製品で顧客は大満足』（十七号　昭和十年七月三十日）は、大日本国家社会党掖上支部の地元の柏原瓦工組合が工場を建て作業を開始したことは、君民一如搾取なき高次的タカマノハラ展開の可能性を予期させるものではないか、と記す。

記事に瓦工場設置披露の文章が掲載されているので一部を引用してみよう。

「大資本を投じて出來たのではありませんが私達はお金を儲ける事だけを目的にするのではなく充分に生産の社會的意義、即ち眞實の意味の社會奉仕的信念を以つて生産に當つて居ます故に金儲けにさへなれば、どんな手段でも選ばぬと云ふ様な事は斷じてやりません」

営利至上の資本主義的な工場ではなく、国家社会主義思想にもとづいた実践的工場であったようだ。ストライキ等の経済闘争や労働運動だけではなく、組合工場を建てるなど国家社会主義的実践を行っている活発な組合だったことがうかがえる（実際そうであり、たびたび「街頭新聞」紙上で活動状況が報告されていた）。

第六章　平和の光・高天原の使者金鵄

一、大日本国家社会党旗と金鵄

神武天皇は御東征の最終決戦を、大和の国で長髄彦《ながすねひこ》と戦っていた。そのとき上空から金鵄が現れて、神武天皇の弓の先にとまった。眩しく輝く光を発して、長髄彦軍の眼を晦《くら》ます。この光によって神武天皇軍は長髄彦軍を倒して正義の勝利を勝ち取ったのだ。神武天皇建国の御偉業に導いた金鵄の光こそ平和の光であり、高天原の使者の光である。

その金鵄をモチーフとした大日本国家社会党旗の意味を『**大日本國家社會黨全國代表者會議　高次的タカマノハラ展開へ**』（**七号　昭和九年十二月二十日**）は報告する。

「**金鵄は太陽の使者である。中興神武帝の弓に下つた金鵄こそ、まさしくタカマノハラの使者である。太陽の使者、太陽を守る者、として大日本國家社會黨は其金鵄黨旗を掲げる。君民一如搾取なき新日本建設の爲めにその旗を掲げる**」

金鵄は武力支配の光ではなく、高次的タカマノハラの展開、君民一如搾取なき新日本を推進していく平和の光である。そのような理想の想いが金鵄の党旗に籠められていた。

次に『**大日本國社黨金鵄黨旗決定**』（**十七号　昭和十年七月三十日**）をみよう。

たびたび「街頭新聞」紙上の諸論考で、大日本国家社会党党旗のデザインに金鵄を取り入れることが主張された。金鵄はタカマノハラからの使者、太陽の守護者、平和の象徴であると定義しており、その想いを述べてきた。

党旗のデザインは「**赤地に金鵄は弓の上にとまらずに鎌と槌の上にとまつてゐる**」だったようである。なぜ神武天皇御東征時のように弓の上にとまり光り輝くデザインでなかったのであろうか？「**今日の我國には既に軍旗といふものがあつて軍隊がそれを捧げてゐる。だから今さら弓の上に金鵄のとまつた旗を我々が捧げる要はない**」からだという。続けて「**今度は、全ての産業を勝手氣まヽに動かして多くの同胞を搾取する資本家や地主もなくなり、搾取された無産階級さへ解消して、強い立派な産業隊ができるやうに、鎌と槌の上に金鵄を輝せるわけだ**」と、鎌と槌、金鵄のデザインにした理由を述べる。

大日本国家社会党綱領の重要な思想的目標である「君民一如搾取なき新日本建設」「資本主義打倒」を実現しようとの熱い想いを党旗に強く表したかったのだろう。

実際に「**大日本國社黨を日本ナチだの日本ボルだのと呼んだ者は改めよ。赤子思想と奉還思想の燦々たる高次的タカマノハラへ日本國民を案内せんとする前衛黨だ**」と、大日本国家社会党こそが国民を導く前衛党だと宣言している。そして党旗は、本部、各府県支部が一本ずつ持ち、明治神宮で入場行進することを決めていたようだ。

この党旗ははたして現存しているのだろうか？　実物も写真も拝したことがない。一度は見てみたいものである。

二、タカマノハラからの使者金鵄

『金鵄の光なくして眞の勝利はない　大和建國の光榮を回想せよ』（四十一号　昭和十二年九月二十日）でも金鵄を「皇軍の政治的理想の表現」として「高天原より御弓に下つた金鵄の光りこそ實に大和を中心とする國土に、高次的高天原を展開するといふ神聖聲明であつた……金鵄の光りこそ皇軍の權威である。この光りなくしては、まつろはざる者をして眞にまつろはしめる事はできない……大和國原を照らした金鵄の光りは、高天原の光りであつた。それを仰ぎ見る者の赤子思想と奉還思想を呼びさまさずにはおかぬ。總ての人間の故郷が高天原であるかぎり、これは人間の深き本能であり高き理想である」と、縷々、独自の金鵄論を展開する。

この時期、北支事変をはじめ国内外で日本を取り巻く情勢が世界大戦へと進み始めていた。八紘一宇の世界平和の実現および欧米帝国主義勢力からのアジア解放のために日本のはたすべき歴史的役割、使命は重要だった。正義の日本が躍進してこそ金鵄の光も輝きを増すのだ。

「皇國の政治的理想が所謂政治家其他によつて引下げられんか、金鵄の光りも亦おのづから曇らざるを得ない。實に皇軍の上に輝く金鵄の光度は皇國の政治的理想實現の高度に正比例するものだ。從つて我々は、北支戰線に在る皇軍將士の犠牲を想ふにつけても崇高なる聖事マツリゴトの理想を想ひその顯現に努め、金權と政權に追從する自墮落な俗流政治を深刻

に反省し大膽《だいたん》に清算せねばならぬ。是れまさしく皇軍の金鵄の光りを強ふする所以である」

政治のかじ取りをする為政者たちが、しっかりとタカマノハラのマツリゴトを展開しないと金鵄の光は曇ってしまう。曇ってしまうと光の輝きが減ってしまう（世の安寧が実現していない）。金鵄の光度こそがタカマノハラのマツリゴトの高次性を表すバロメーターなのだ（輝きが多いほど世の平安が成立していく）。

この非常時を乗り越え、日本およびアジアから世界へ皇道理想を宣布（高次的タカマノハラの展開）すべく皇道、皇民、皇産思想に基づく皇民意識の高揚、皇道経済の確立を目指す昭和維新運動を進め、金権俗流政治を粉砕して高度の国体的政策を断行しなければ、と訴える。

それによって金鵄の光は燦然と輝き、昭和維新も成就するであろう、と。

第七章　昭和維新運動

一、昭和維新蹶起と大日本国家社会党の想い

血盟団員への厳罰に反対する声明文（大日本国家社会党掖上支部名）が「**街頭新聞**」**創刊号**（**昭和九年**〈**一九三四**〉**九月十日**）に掲載された。

以下、全文である。

「血盟團員に對する第一回公判求刑に我等は反對する　我黨と血盟團との間には國家社會に對する認識の相違する點少なからずといへども　血盟團員の新日本建設に對する至純至誠の心意に對しては敬意と感謝を表示せざるを得ない。その論告の内容たる心意諒とすべきも行爲不法なる故にとの理由に對し、我等は行爲不法なりとも心意正義なる故にとの理由に因りてその嚴罰に反對するものである。特權金權に對する彼等の不法は死罪求刑の嚴罰に値し勤勞國民に對する正義は僅に心意を諒とするの言句にしか値せぬか。我等は血盟團員に對する嚴罰に反對する」

血盟団事件（昭和七年）とは――。

「二月九日、前蔵相井上準之助が、東京市本郷区駒込町駒込小学校において血盟団員小沼正に、同年三月五日、三井合名会社理事長団琢磨が、三井銀行本店前において血盟団員菱沼五郎に射殺された。当時、ロンドン条約をめぐって賛否両論があり、深刻な経済不況のもと政党政治の腐敗が叫ばれていたが、日蓮宗の僧侶井上日召らは、財閥、既成政党および特権

階級を、一人一殺をもって打倒し、皇室中心主義を基調とする反資本主義的社会改革を行わなければならないと考え、同志によって実行に移したもの」（『右翼民族派総覧　平成3年度版』より）

五・一五の志士に対して七十万筆を超える減刑嘆願書が国民、団体から寄せられたことは有名である。当時、政党政治は腐敗をきわめ、経済も不況、農業も不作であり、国民の生活環境は劣悪だった。腐敗堕落した既成政党、財閥などの特権階級を倒して国民の窮状を救うため、やむにやまれぬ決起であった。国民の想いを行動に移したからこそ、多くの国民の支持を得て、意思（減刑嘆願書）が示されたのだ。

続いて神兵隊事件の論考**『血盟團、五・一五の後をうけた『皇道維新』の神兵隊事件』（十九号　昭和十年九月二十日）**。

神兵隊事件とは次のような出来事だった。

「七月十一日、愛国勤労党天野辰夫、皇国農民同盟前田虎雄、大日本生産党影山正治、鈴木善一、安田銕之助中佐らを中心とした大日本神兵隊が、帝都枢要地の空中爆撃、地上行動隊による官庁、要人の襲撃等の大規模なクーデターを計画したが、決行寸前に発覚、関係者五三名が起訴された。この事件は（財閥、既成政党、特権階級等は血盟団、五・一五事件の警鐘に覚醒することなく恋々としてその地位の維持に汲々としている）と、その態度に憤慨し、（神兵は神剣を体し、皇国の繁栄と使命達成を期さんため、死をもって、昭和維新の大業を扶翼し奉るものなり）等の神兵綱領をかかげて、昭和維新の断行をはかり、明治神宮に参集していたところを一斉に検挙されたもの」（『右翼民族派総覧　平成3年度版』より）
論考には、神兵隊の決起にいたるまでの政治社会情勢、蹶起計画の要旨がコンパクトにまとめられている。

「今日の我國は明治維新以後、歐米の物質文明と共に輸入せられた自由主義、個人主義、唯物主義の思想により社會諸般の組織制度が毒せられ、日本精神は忘却せられ、日本民族の將來は危く想はれる故、此際、一大改革をせねばならぬと考へてゐた。しかも、血盟團、五、一五事件の同志等が相ついで蹶起したにもかゝはらず、政黨、財閥、特權階級は益々相結び、國家を姦《みだ》し、國威を失墜したものと斷定し、皇國を國外國内の非常時局より救ひ、永遠無窮の發展を遂げしむるためには、最後的に蹶起して、齋藤内閣を倒し、一擧に國家統治の中樞機構を破壊し、帝都を動亂化して戒嚴令下に置き、大詔渙發を奏請して特異の内閣を組織し、皇道を指導原理として帝都憲法をはじめ諸般の法律制度、組織を根本的に改廢し、一君萬民、祭政一致の天皇制治を確立し、神武肇國の皇政に復古し、いはゆる皇道維新を斷行せんとしたのである」

明治維新以降の西欧に追い付け追い越せ政策の結果、文明が進み、民主主義、唯物主義、資本主義といった外来思想、西洋思想が定着してくる一方で、日本の国体精神が失われていくことに危機感を抱いた志士たちが、真の日本回帰のため立ち上がった戦い、それが昭和維新運動だったのだ。

昭和維新陣営に向けた提案を記す論考『**昭和維新の陣営へ提唱す　大化改新祭と明治維新祭**』（二十三号　**昭和十一年一月二十日**）では、大化改新と明治維新を歴史上の二大国体明徴運動だったと定義する。

「**大化改新にしても明治維新にしても勿論それは復古的な史的反省の上に行はれたものだ。だがその事はそれ等の改革が日本史上に遺した飛躍的進歩の跡を消し去るものではない。従つてそれが單なる反動的復古運動ではなく充分に進歩性を持つた高次的復古運動であつたことを認めないわけには行かぬ、過去を離れた未來のない如く史的反省のない改革を想像することは歴史を有たぬ人間社會を想像する如く無意義な事だ……我等は日本史上に於ける打倒氏族制の大化改新と打倒封建制の明治維新を回顧し記念する大衆的行事を提唱し、その行事を通じて國體明徴の下に打倒資本制の昭和維新を展望せんとするものだ**」

大化改新、明治維新から維新の歴史と精神を学ぶことは、維新精神の連続性の継承であり、その実践が昭和維新運動なのだ。

『**厚顔無恥なブル政黨代表の二二六事件の原因論**』（二十五号　**昭和十一年五月十二日**）は、衆議院本会議で民政党の齊藤隆夫代議士が二・二六事件に言及した発言（青年軍人の思想問題、事前監督および事後の軍部の態度）を批判する記事である。

「こんな厚顔無恥な論理があるだらうか、これでは一にも二にも軍人側が悪いと云ふことになつてゐる原因者としての責任は軍人達だと云ふ事になつてゐるではないか、では、軍人をして此不法なる行動を敢てなさしめた者は誰だ。何の理由もなしに狂人でもない青年軍人達が暴れだしたとでも云ふのか、吾人をして云はしむれば二、二六事件の原因は、まさしく既成政黨の腐敗堕落に求めるべきだ、既成政黨の醜悪下劣なる行動にあるのだ……齊藤代議士よ、あなたはその様な既成政黨で育つた人だつた、そして今も尚、既成政黨の人だ、だから自分達のやつてゐる事が何《ど》んなに下劣であるかと云ふことを判斷するには余りに立憲的良心が痲痺してゐる。だからこそ、二、二六事件の原因が自分達既成政黨の醜悪なる行動にあることを言明し得ないのだ」

既成政党の腐敗堕落した政治状況が決起を促した原因だという。**「街頭新聞」第二十六号（昭和十一年六月二十日）**のコラム・街頭経でも次のように指摘する。

「齊藤隆夫は五一五事件責任者の處罰が輕かつたから又又二二六事件が起つたのだとわめく、ブル政治家よ資本家よ然らば安政の大獄によつて明治維新をソ止《し》出來なかつたのは何故かチト考へて物を言へ因を糺さずして果を論ずるは専制政治家の常だ」

まさに正論。そのとおりである。昭和四年（一九二九）から六年にかけての農業不作、または世界金融恐慌の影響をうけて深刻な経済不景気など、国民大衆を取り巻く状況は劣悪だった。そのような政財界の腐敗状況を打開するために、数々の昭和維新の蹶起があったのだ。二・二六事件もその一つだった。

また、齊藤代議士は「粛正選挙」にも言及しており、こちらの発言も強く批判している。

「粛正選擧が政黨の手によつて行はれたとも云ひ得まいし更らに、一回や二回の粛正選擧で、眞の國民の總意なぞが明かになるものか、總意は總意でも歪められた總意だ。正しい政治教育も行はずに、詐欺的政治教育で國民大衆の政治的批判力をゆがめておいて何人の國民の總意だ」

これまた正論である。政党政治が正常に機能していないなかでは、国民は正しい政治判断などできようもないし、不幸な状況下におかれるだけだ。

既成政党の悪しき慣例にとらわれた政治家の言説なんぞ説得力がないに等しい。正しい政治が行われていれば国民が苦しむこともなく、やむにやまれぬ維新的蹶起がおこる必要すらなかったのだが。

二、維新的スローガンの思想

『明治維新のスローガンと昭和維新のスローガン』（二十号　**昭和十年十月二十日**）では、原始より日本民族には惟神道（神ながらの道）があると説き、日本主義とはまさしく神ながらの道なのだと論じ、だから我々は神ながらの道を選ぶべきだと唱える。

「これは實に古くしてまた新なる道である。この道は、天皇制の道である。悠々幾千年の古《いにし》へなる原始的同胞共産社會を昨日の如く回顧し得る制度である。日本民族にとつて、これこそ尊重すべき民族的形式であると共に同胞的社會主義を内容とする特殊の制度である。日本民族よ、タカマノハラを回想せよ。日本民族よ、マツリゴトを回想せよ。日本民族よ、天照大神を回想せよ。天皇制はそこから發したものではないか。日本國體の本質と日本國家の淵源をタカマノハラのマツリゴトに見ずして何處に求め得やうか。……同胞を搾壓する資本主義を振捨てよ。天皇制の歸結としての國家社會主義。國體完成としての同胞社會主義。『マツリゴトの確立による高次的タカマノハラの展開』こそ昭和維新のスローガンではなからうか」

日本民族であればタカマノハラを、母権親和共産制で成り立ち、搾取も階級も疎外もなく公正、公平な富の分配、協働、均足消費が行われたあの原始タカマノハラを、ありありと、つい昨日のことのように想起できるはずではないかと説く。タカマノハラのマツリゴトを地上に実現することを目指して昭和維新にかける強い想いが込められている。

明治の王政復古の史的焦点が、建武中興から神武建国に移ったのはなぜか？　公武合体論も交えて歴史過程もふまえながら次のように論じる。

「『建武中興』を明治維新に於ける史的反省の焦點としたのでは、到底日本は今日の如く先進資本主義諸國に追ひ付き、追ひ越すことは不可能であつたに相違ない」

「『公武合體すべし、建武中興に復れ』は非常時に藉口《しゃこう》する封建制存續の方便であり、『公武合體すべからず、建國の古に復れ』は封建制の徹底的打破であり、統一國家再建の要求である。そこに資本主義展開の必然性がある」

原始共産制→奴隷制→封建制→資本主義→（社会・共産主義ではなく）高次的タカマノハラ、国家社会主義へと移行するためには、まず封建制を倒さないと次の段階へ移行しない。つまり資本主義を経なければ国家社会主義制度は構築できない。社会の史的推移をこのように捉えている。

だが、幕末の維新精神はブルジョア的ではなく、国体的理想精神であった。その史的実例として、天忠（誅）組の五条御政府の政策（庶民平等、年貢半減、土地国有、これらは国家社会主義的政策である）、大塩平八郎の檄文（神武御政道への回帰）を取り上げる。そして国体的理想主義とは、天照大神が統治する高天原の御代であったという。

「勿論、統一國家ではあつたが、今日の世相を現ずる如き資本主義國家ではない。幕末に於ける維新精神の中心は明白に國體的理想主義である。そして勿論そこには尚古的復古性はある」

我が国の歴史は過去から未来へと続いている。維新とは、原点に立ち返り現状を変革して未来へとつなげていくことだ。当然、民族精神の根源となる歴史の復古性がなければ維新精神は構築できない。

国体的理想主義が、タカマノハラのマツリゴトに基づいた本来の世界観からブルジョア的日本主義の形へと変わっていくことを危惧して、次のようにいう。

「此の國體的理想主義がブルヂヨア的日本主義の形態において勝利を得たのであるが、それがブルヂヨア的に展開すればする程、その日本的特質を變質せしめる結果、國體的理想主義から分離し、對立するやうになる。即ち、ブルヂヨア的日本主義が國民生活を向上伸展せしめる能力を失ふのみならず、益々國民生活を困難ならしめる結果、國體的理想主義と對立することになる。……今日の如く反資本主義的立場に於て、單に『建國の古に復れ』では何等の對資本主義的特色が表示されてゐない故に啻《ただ》に無力であるのみならず、寧ろブルヂヨアに逆用されつゝある。從つて眞實なる日本主義は今日では其の國體的理想主義を充分にブルヂヨア的日本主義の前に表示し得るところの反資本主義的特色あるスローガンを選ばねばならぬ」

ブルジョア的日本主義のもとでは、国民生活が向上するどころか困難の度を極め、ついには階級対立を生み階級闘争へと発展していく。そんな民族相克の争いを避け、相互扶助的な親和社会を構築するために、明確に反資本主義を掲げたスローガンにしなければいけない。

「同胞意識は、現在ブルヂヨア的日本主義者等の云ふところの、經濟的共通性のない搾取制度の上に在つて高唱する同胞意識ではない。タカマノハラの同胞意識は眞に暖い血族的愛情に繫がれたものであつて、從つて經濟的にも利害相反する事なき共同的融通性をもつてゐ

た。けれども、ブルヂヨア的日本主義者が我等に強制する所の同胞意識とは如何なるものであるか。その経済的共通性を冷酷なるローマ法的所有觀念によつて寸斷しておきながら、單に生理的共通性を理由として强調するブル的同胞意識とは決して暖い愛情を通はす美しい血縁ではない」

ブルジョア的日本主義者が資本主義体制にいながらにして、いくら欺瞞だらけの同胞意識を強調してみせても、そこにあるのはせいぜい生理的共通性だけだと断ずる。穿った指摘である。昭和維新の推進力となるのは、そんな誤魔化しの同胞意識まがいではなく、マルクス主義思想の階級史観でも、もちろんない。暖かい血のかよった本当の民族同胞一体の意識をタカマノハラの理想のなかに涵養しなければならないのだ。

「我等は理想的同胞社會をタカマノハラに反省し、既に維新によつて再建されたる此の統一國家の上に其の高次的展開を實現せんとするものであつて、かゝる生理的にも、従つて當然に經濟的にも融通無碍なる共同體こそ國體完成としての國家社會主義、天皇制の歸結としての國家社會主義の理想でありその爲めのマツリゴトの確立こそ我等當面の政治的任務でなければならぬ」

ここで言う維新は明治維新のことだ。幕末の国体的理想精神が封建制をしりぞけ、統一国家が再建され、明治の近代が幕を開けたのだ。

ところが、明治ご一新以降の日本は、西洋化、文明開化路線をひた走り、西洋由来の資本主義制度が力を増すにつれ、伝えられるべき日本思想や精神が喪失していく状況には、国体的理想精神を持つものであれば強い危機感を抱かざるをえない。こんな状況を打開して、あるべきタカマノハラ理想社会を地上に打ち建てようとの不退転の想いを昭和の維新運動にかけたのだ。

「街頭新聞」および大日本国家社会党が主張するタカマノハラ理想社会は、母権的共産社会のもと、君（母）と民が一体となった親和関係でなりたつ社会である。当然そこでは国民同胞がみな公正、公平、平等で、階級も搾取も差別も疎外もなく、皆が協働して得た富を公平に分配する、平和で幸福な理想的なマツリゴトが展開されている。それはつまり天照大神が、祭政一致の御統治を執り行われる理想世界（天上界）ということなのだ。

では、対する地上界をどうみていたのか。地上界は父権性社会と定義づける。国家統治形態（まつりごと）が権威者的観念（母権的共産社会）から権力者的観念（父権的所有社会）へ、また所有権が原始共産共有制からローマ法的私的所有制へと移行したと捉える。

「街頭新聞」紙上で唱える国家社会主義（日本的社会主義）は、これまでみてきたようにマルクス主義思想と関わりを持たないし持ち得ない。マルクス主義は、プロレタリアの階級闘争によって資本主義を打倒し、社会主義社会（プロレタリア独裁）から共産主義社会（国家の死滅）へと向かうとする考えだが、そうではなく、あくまで国民、民族的観点による闘いで資本主義を打倒し、天皇制社会主義（高次的タカマノハラ）を構築していくべきなのだ。

前に述べたように、資本主義体制下での一つの階級的妥協案に「労資協調論」がある。この理論に対して、

「**労資協調してこの難局を打開せよといふ主張は極めて俗耳に入りやすい。けれ共眞の勞資協調とは勞資間に搾壓關係のある限り、資本が資本家的所有、個人的所有である限り到底不可能と云はねばならぬ**」

ローマ法的所有観念に基づく資本主義体制のもとでは、どんな妥協案をだそうとも、救済策を弄そうとも、搾取をはじめ社会的不公平を廃絶することなどできはしないのだ。

「『**タカマノハラには同胞を搾壓する資本家何ぞと稱する者は居なかつた。』……『タカマノハラにはローマ法的所有觀念はなく、資本生産業の一切は奉還財であつた筈だ。**』」

人間が人間らしく生活できる世界や社会をつくりたい。民族同胞間の搾取や差別をなくしたい。その想いが高次的タカマノハラの思想的原点だった。

人間の尊厳が保たれ、人間性が高度に完成された社会。すべての国民の個々の能力が十分に発揮される人間社会『人間の祖国日本』を構築することで、差別や搾取が消え失せ、国家国民の利益がともどもも向上発展する。

すべての国民（人間）の解放の思想的根拠をタカマノハラのマツリゴトにもとめて、昭和維新に理想実現の想いを託した思想は、人間性の喪失、疎外化が進んでいる現代社会に訴えかけるものがある。

第八章　天皇機関説批判

一、なぜ天皇機関説に反対したのか

「街頭新聞」紙上で展開された闘いの一つに、天皇機関説反対の問題提起がある。天皇機関説問題とは、

「国家の統治権の主体は国家にあり、天皇は国家の最高機関として統治権を総攬する機能をもつというのが天皇機関説であり、その基礎には国家法人説がある。戦前の日本で天皇機関説が問題になったのは、明治末期のいわゆる上杉・美濃部論争と一九三五年（昭和十年）の議会における天皇機関説排撃事件であり、いずれも美濃部達吉博士（貴族院議員、東大教授）が係わった」（『最新　右翼辞典』より）

『欽定憲法か民約憲法か　首相岡田氏に問ふ』（**十一号　昭和十年三月十日**）で、岡田啓介首相が美濃部達吉博士の天皇機関説問題について、単なる用語、学説の問題であると言ったことについて「**明白に民約憲法と欽定憲法とを區別せぬ學説だ**」と厳しく批判している。

その通りだ。明治維新以降の西洋に追い付き追い越せで、経済制度ばかりか、あらゆる方面で西洋思想、外来思想が主流の位置をしめていった。そんななか、日本国体の本質が薄らいでゆくことの一つの象徴として機関説問題が発生したように想われる。大日本国家社会党および「街頭新聞」が一貫して主張してきた「高次的高天原（タカマノハラ）」思想には、西洋的思想、制度を超えた真の日本への回帰、近代欧米思想、制度への抵抗、対抗、超克の想

いが込められている。

当時の国政参与の権能は「**天皇政治の理想實現のために附與されたるものと信じて初めて、君民一如搾取なき國體開顯のための政治的奉公が出來るのだ**」という。日本の国会権能は天皇から与えられ、大御心に適う理想社会実現のマツリゴトを執り行ってゆくことが国会の意義であるのだ。

岡田啓介首相に対して、「**國體觀念と憲法論とは別だなぞと考へてはいけない。日本憲法は徹底して國體的に思想すべきだ。日本國體と分離して思想さるべき日本憲法なぞは有り得ないではないか**」と諭す。天皇機関説は明らかに西洋憲法観念に基づいており、日本国体の根本思想が見当たらない。天皇が主権者であることは、天壌無窮の神勅「豊葦原の千五百秋の瑞穂の國は、是吾が子孫の王たるべき地なり。宜しく爾皇孫就きて治せ。行矣。寶祚の隆えまさむこと、當に天壌與《と》窮りなかるべきものぞ」で仰せになられている。これが歴史を通じて連綿と伝えられてきた我が国の定則だ。それゆえ美濃部博士が唱えるような機関説は成り立たないのである。

また、天皇が主権者といっても権力者的に捉えるのも間違いである。ここでいうように国体思想なき憲法は、その国の憲法にあらずである。美濃部博士の天皇機関説がこうして社会問題となった以上、単なる学説の問題ではなくなったのだ。

二、天皇機関説批判をめぐる大日本国家社会党の思想と行動

『治安維持法の改正』（十一号　昭和十年三月十日）では治安維持法改正の問題点に、天皇機関説問題も絡めて論じている。

この時期に提出された治安維持法改正法案にふれて、「**國體變革と私有財産制度否認とは別個の觀念として取扱はれることになる**」のは当然だとし、国体と私有財産制度は別個であり、国体的理想社会実現のため資本主義制度を打倒せよと訴えている。

従来の治安維持法では、国体と私有財産制度が同一に扱われていたが、その理由を「**資本家とその政治家共が自己の財産を守るための狡猾な手段であつたのだ……國體の背後にかくれて、自分達の資本主義的な財産を守り、その財産によつて資本主義的に何時までも同胞を搾取しようといふ惡だくみだ**」と、ブルジョア階級に都合のよいように法制化されていたとする。ブルジョア階級が権力を維持し、権益を守るため、自分たちにとって都合良く法をつくり、使っている。そんなことは歴史を見廻しても茶飯事であろう。

しかしながら、我が国体観念と私有財産制度（資本主義）とは相容れるだろうか。国体の理想は君民一如搾取なき社会であり、搾取もなければ階級もない民族共同体社会である。資本主義は個人主義的自由競争主義であり、富を持つ者と持たざる者、資本家地主と労働者農民の階級を生まざるをえない社会である。我が国体観念とはまったく相容れないと考えるの

は理の当然である。

「君民一如全同胞が共に働き共に樂しむタカマノハラの開顯たる日本國體の理想を實際に現はして行くためには、非國體的資本主義制度は害惡千萬だ」。それゆえ**「國體的治安維持法は寧ろ資本主義を取締るべきではないか」**

至言である。とりわけ「むしろ資本主義を取り締るべき」との発想がとても面白いばかりか、国体観念の理想に照らせばそうならなければならない。さらに天皇機関説と絡めて**「博士所論の基礎をなす個人主義的自由主義こそ、また實に資本主義の特質だ。治安維持法改正の時に當り美濃部學説の非國體性の曝露は聯想して意義深長だ」**と示唆する。

天皇機関説も含めた日本国内の憲法学説を**『憲法學説變遷とその社會的根據』**（十二号　**昭和十年三月三十日**）で、明治十四年（一八八一）の政変、国会開設の詔の渙発から満洲事変まで展開されてきた各学説の流れ（主権在君→福知桜痴『東京日日新聞』→伊藤博文『憲法義解』→穂積八束→上杉慎吉、主権在国家→沼間守一ら『横浜毎日新聞』→一木喜徳郎→美濃部学説。主権在民→フランス民権論→体系化できず、に区分して各流れと共に天皇主権説、天皇機関説への流れ）で捉えコンパクトに纏めており、すこぶるわかりやすい。

続けて**「美濃部憲法學は、日本資本主義の推移と共に、その據つて立つ政治的基礎を漸時喪失し」**として、美濃部憲法学説は時代の流れと共に消えていき、時代に適した憲法思想が要求されてきているという。

日本を揺るがす大きな問題となった天皇機関説問題は、政界、言論界などあらゆる場で反対運動が展開された。当然「街頭新聞」紙上で天皇機関説反対の論陣を張るだけでなく、地元からも反対する行動を起こしていった。その動きが、大日本国粋会奈良県本部が主催した天皇機関説排撃集会となり、橿原神宮神苑内建国会館で開催された（参加者五百余名）。

『非國體的「天皇機關説」排撃奈良縣民大會開催』（十二号　昭和十年三月三十日）で集会の模様と宣言文が報告されている。

「歴代陛下の、マツリゴト、こそ日本國體の核心にして精華にあらずや、然るに個人主義的自由主義の結果たる資本主義制度の爛熟とともに必然的に所謂『機關説』の主張となり、國體の神聖は冒瀆され、建國の理想は忘却されむとす……この聖地に建國の本義を想ひ『機關説』が前記資本主義制度必然の所産たることを識り、高次的タカマノハラ展開の爲めに、皇祖皇宗の御加護を祈り之が絶滅改革を遂行せむとす」

天皇機関説は個人主義的自由主義から起こっており、天皇機関説の排撃だけでは足りず、資本主義、自由主義制度の根本を打倒せねばならないと宣言する。

コラム街頭経でも「**物は思想を生む。不逞の機關説又此のローマ法的資本主義的自由主義より生まれる**」といい、資本主義制度打倒のための大衆決起を促す。それは西洋思想、制度から日本民族共同体へ回帰（高次的タカマノハラの展開）したうえでのあるべき近代、すなわち西洋思想、制度の超克を促す呼びかけにほかならなかった。

第九章

陸軍パンフレットと「街頭新聞」

一、なぜ「街頭新聞」は陸軍パンフレット（国防国策）を支持したのか

陸軍パンフレットとは、どのようなものだったか？

「一九三四年（昭和九年）10月1日、陸軍省新聞班は『国防の本義と其強化の提唱』という所謂『陸軍パンフレット』を発表した……内容は次の五つから成っている。一、国防観念の再検討　二、国防力構成の要素　三、現下の国際情勢と我が国防　四、国防国策強化の提唱　五、国民の覚悟　それは「広義国防」国家の確立を目標とし、そのためには国民生活の安定が必要であるとして統制経済の必要を説いた……このパンフレットは永田鉄山軍務局長が、軍事政策班の池田純久少佐に命じて書かせたもので、彼は作成に当って国策研究会の矢次一夫らの協力を得、清水清明少佐、満井佐吉中佐が修飾してつくられた」（『最新　右翼辞典』より）

『國家社會主義的見地より現行經濟機構改革の提唱』（三号　**昭和九年十月十日**）は、陸軍省新聞班発行のパンフレット『国防の本義と其強化の提唱』の支持を表明する。

「國民の一部のみが經濟上の利益、特に不勞所得を享有し國民の大部分が甚だしい苦しみを受け、延《ひ》いては階級的對立を生ずる如き事實ありとせば一般國策上は勿論、國防上の見地よりして看過し得ざる問題であり、殊に農山漁村の窮乏打開を急務とする」

「現在の如き機構を以て窮乏せる大衆を救濟し、國民生活の向上を庶幾しつゝ、非常時局打

開に必要なる各般の緊急施設を爲し、皇國の前途を保障せんことは至難に屬する」

資本主義制度下では、如何なる対策をとろうとも全農山漁村の国民大衆の窮乏を救うことはできない。国策のうえでも国防のうえでも、国民生活の苦しみを見過ごすわけにはいかない。資本主義制度に代わる新しい制度をつくって国民大衆の救済に取り組むべきだ。でなければ国策も国防も盤石なる体制を築くことなどできない……。

しかし政界や財界からはこのパンフレットに「日本現在の政治經濟機構の根本的変革」「軍人の政治干与だ」「国家社会主義的だ」とかの反対意見が続出した。政界、財界のブルジョア階級は資本主義の恩恵を受けており、自己の権益を守り、制度を守ろうと反対のはり声を上げていることは明白である。昭和四年（一九二九）の世界大恐慌、金融恐慌の影響で不景気となり、国民生活は悲惨な状態にあった。故に国民救済のため、資本主義を倒して高次的タカマノハラを展開（国家社会主義的経済機構）していくと訴えてきた大日本国家社会党および「街頭新聞」が目指すべき思想と合致する陸軍パンフレットの実現に向けて、応援運動を展開していったのは当然のことだった。支持の理由を「**街頭新聞**」**第三号付録**（**昭和九年十月十日**）で次のように記す。

「その國策方向は正しく國家社會主義による現行資本主義經濟機構の改革である。陸軍がかくの如き國策を提唱せる所以は實に農村疲弊と現代國防力との緊密なる作用の認識によるものであるが、更に我等は國際的危機に面せずとも國内的にも現行資本主義經濟の矛盾が非

常時たる改革期にまで到達せることを識らねばならぬ」

これ以降、陸軍パンフレット実現に向けた論説を載せながら支持を訴え続けていく。そのなかからいくつかの論考をピックアップして、なぜ支持したかをさらにみていく。

『**國防國策の提唱に應じて陸軍當局に答へる**』（**四号　昭和九年十月二十日**）の冒頭、「**陸軍當局の發表した國防國策は正當である**」と断じ、大日本国家社会党ならびに「街頭新聞」は、陸軍パンフレットの内容は国家社会主義的だと支持し、「**軍部自ら實行するとせぬとに拘らず、その實現は勤勞國民大衆の任務である**」と、大衆は街頭に結集して昭和維新運動を展開すべきだと訴える。

当然、陸軍にも「**軍部はラッパを吹け、我等は甘んじて進軍するであらう**」と促しているが、「**決勝の間際に戦闘中止のラッパを吹かぬことだ。資本主義修正など丶云ひ出して、ファシズムやナチズムの線でブルヂヨア共と妥協せぬことだ**」と、打倒すべきブルジョア階級と妥協しないよう釘を刺すことも忘れない。

陸軍パンフレットを支持、国民運動の展開をつうじて資本主義制度の変革を目指した先には、ファシズムでもない、共産主義でもない、日本的社会主義（高次的タカマノハラの展開）を実現しようとの強い想いがあったのは言うまでもなかろう。

陸軍パンフレットは発表されるや大きな反響をよんだ。

全農山漁村の疲弊救済のため、資本主義是正の政策として計画統制経済を唱えていることから「国家社会主義的だ」などと、政界、言論界から反対意見があがり、やがて陸軍パンフレット事件へと発展していくのは前述の通り。「国家社会主義」が彼らにとっては非難語であることに留意しておきたい。左翼にとっての「ファシスト！」と似たようなものだ。

二、陸軍パンフレット（国防国策）の実現に向けて

『**陸軍の提唱に呼應して勤勞國民大衆は起て**』（**四号　昭和九年十月二十日**）は「**ローマ法的資本主義を打倒し日本的勤勞主義を確立せよ**」と訴える。「高次的タカマノハラの展開」に向けてローマ法的資本主義打倒は大きな思想的目標だったことは何度も書いた。

「**正しい世界を創るために皇道宣布の戰爭**」の章で、欧米各国の軍隊が「**今までに強盗以上の不正な惡い戰爭を重ねてゐる**」のに対し、我が国は「**確に止むに止まれぬ戰爭のみを爲して來た**」とする。歴史を見れば一目瞭然の正論だ。日露戦争も大東亜戦争も詔書を拝すれば開戦理由がよくわかる。

明治以降、欧米帝国主義諸国のアジア進出、植民地化から日本の独立を守るため、ひいてはアジア解放のために戦わざるをえなかったのだ。

しかし、国内の実情をみると「**萬事好都合**」と、資本家、地主のための戦争になっていたことも否めないという。ここでいう万事好都合とは、戦争によって利権、利益を貪る権益者

を指している。

また「**平常は勤勞國民を國民の數にも入れない……戰爭になると眞先きに、そして最後まで戰はせようとするのだ**」つまり、帝国主義者、権力者たちは自分勝手な都合の好いように国民大衆を利用してきた。

それでも「**資本家共にその『祖國』を踏みつけられて居ても、やはり自分も國民だと思へばこそ……資本家共と同じ國民だと想つては戰へないが、愛すべき同胞はみな赤子のやうな純朴な氣持になつて天皇陛下萬歳を唱へて戰死するのだ**」と勤労国民の心をおもんぱかりながらも、ブルジョア的な帝国主義戦争には強く反対するという。

「**資本家共に僞瞞されるな國内政治が鏡だ**」の章で、ブルジョア権力者は開戦の理由を述べる際「帝国主義戦争を始める」といわず「国家のため」「正義のため」「民族のため」と欺瞞的な言辞を弄すると指摘する。確かに正直に、これは帝国主義の戦争ですなどと正直に宣言した国はない。帝国主義戦争とは、ブルジョア階級本位のブルジョア階級の利益擁護のための戦争でしかないのだ。

ブルジョア階級の自分勝手な解釈で国民大衆が利用されて多大な犠牲を強いられるのは、民族共同体思想の観点からみて大義なき戦争にほかならない。続けて「**いくらブル共が僞瞞しようとしても、國内政治が鏡だ。國内で同胞を搾取し壓迫してゐるやうなブル共が、何うして外國に對して「正義」の戰《いくさ》などするものか……皇道宣布の戰爭であるならば、他國の不**

正不義と戰ふと共に自國内の不正不義に對しても當然に深い反省を伴ひ、正當なる改革が行はれる筈だ」と、皇道宣布の戰争であるならば、まずは国内の同胞搾取を廃していかねばならぬ、と語調をさらに強める。

最後の章では「皇道宣布」について説く。

「**それは、神ながらの道に從ひ、それを理想として行ひ廣めることだ。では神ながらの道とは何にか、それは、生理的共通性と經濟的共通性の自然的統一性のことだ。日本國體の特質は正しく此處に在るのではないか。天皇陛下萬歳と唱へて戰死する無産勤勞者の心情には正しくこの神ながらの道への強い思慕が動いてゐるのだ。赤子思想としての同胞意識と、奉還思想としての共産意識が、本能的に貧しく冷たく生れ育つた彼等をして、その最後に、天皇陛下萬歳を唱へしめるのだ。神ながらの道こそ、全人類の思慕の道だ。日本のブルヂヨア共よ、汝等にはこれが理解されないのだ。皇軍當局よ、先づ國内に皇道宣布すべきだと、我等も切實に想ふ**」

陸軍パンフレットに基づいた国家社会主義的社会を実現するため搾取の廃絶をはじめとした経済機構諸改革を進めていくことが必要だ。これこそが皇道宣布の道であり、神ながらの道なのである。

『**陸軍提唱の「國防國策」に就て　敢て農村大衆に與ふ**』（七号　昭和九年十二月二十日）では、林銑十郎陸軍大臣の談話「**農村對策についての具體案は現に陸軍の關係部局に於て研究**

してゐる……實行する意思が全然ないとかいふ意味でないことを明らかにして置く」（昭和九年十二月八日）をうけて、陸軍にだけ任せておくのではなく速やかに国民運動を展開すべき秋《とき》だという。

『**資本主義諸政黨の奸惡なる軍農離反策を破れ**』（十号　昭和十年二月二十日）は、資本主義を擁護する既成諸政党が国防国策に反対し、「**軍事費が多過ぎるから農村救濟費が少くなるのだ**」と詭弁を弄して大衆を誤魔化そうとしていると厳しく批判している。そのような情勢のなか、大日本国家社会党は対抗策として国民大衆に陸軍パンフレットの国防国策の内容を理解してもらうべく、実現要求署名運動を展開していった。

実現要求書の内容は、陛下の赤子として同胞愛に充ちた国民生活を願っているが、それは個人主義に基づくローマ法的資本主義のもとでは到底実現できない。資本家地主階級も同胞だが、国体に反する資本主義を認めるわけにはゆかない。各種社会政策を講じても根本解決には至らない。速やかに現行経済機構を改革して人類愛の皇道宣布がなされることを要求する、という。

『**農民大衆よ知つてゐるか　陸軍提唱の國防國策を**』（十号　昭和十年二月二十日）は、非常時局の国を守り農民大衆を救済すべく、現行の制度を根本から立て直せと農民に呼び掛ける。

『**資本家地主に都合がよくて農民勞働者を苦しめる　同胞を搾取する制度をやめよ**』（十号）でも同じく陸軍パンフレットから「**擧國一致をするためには地主や資本家だけが立派な勝手**

氣儘な生活をし、勞働者や農民等が働きがひのない苦しい生活をしてゐるやうでは不都合だ。こんなことでは何うしても國内に階級對立が出來るから眞の擧國一致はできない……速に國體的な同胞搾取のない世の中を作れ」と農民大衆に呼びかけ励ましている。

『**陸軍の國防國策　やれるならやつてみろとブル代議士共が大反對**』（十号　昭和十年二月二十日）では、「**今のやうな、同胞搾取の世の中が、個人主義的な世の中が、日本の國體に適ふたものだと想つてゐるのか。資本家共、貴族院の大部分、政友會、民政黨、等の資本家の猿奴《め》。日本國體といふのは、萬國無比、君民一如搾取ある可からざる國體だ。從つて陸軍が階級對立、同胞搾取のあるやうな世の中はいかぬ、と云つたとて、何處がいけないのだ**」と国体論を説きながら農民大衆が団結してやってやろうじゃないかと檄を飛ばす。

こうして毎号、国防国策支持の論文や記事で大衆に訴えかける一方で、奈良県下の有志の協議会を立ち上げている。

それを伝えるのが『**陸軍省發表「國策」實現奈良縣協議會　橿原神宮神苑建國會館に於て第一回會合**』（十号　昭和十年二月二十日）である。会合の状況報告と声明書を掲載している。会の参加予定者二十名にたいして参加者は十五名だったと正直に記している。

声明書では「**現在の如き機構を以て窮乏せる大衆を救濟し、國民生活の向上を庶幾しつゝ、非常時局打開に必要なる各般の緊急施策を爲し皇國の前途を保證せんことは至難に屬す**」という陸軍当局の意見を引用しながら「**皇國の光榮を想ふ者の等しく到達する結論**」であるとし、国家社会主義的に政経諸機構を改革する義務あるものとして、陸軍の提案を正論として国体完成に向けた運動を展開していくのだった。

第十章　農業問題と国体的農村建設

一、資本主義的農村救済策の批判

この時期（昭和九年前後）最大の社会問題は、東北地方の大凶作による農村疲弊であった。『**東北六縣下大凶作　餓ゑ凍る同胞を救へこの惨状は國體の恥辱**』（五号　昭和九年十月二十日）では、東北地方の農村の生活環境を「**飢饉の時に食べたといふ土を湯でこねて食つてゐる者も澤山ある**」「**農民が凶作の場合に代用食としてゐた木の實草の根さへ育成せず、實に惨《いた》ましい有様である**」「**缺食児童一萬二千名に達し食ふ爲には可愛い娘を酌婦、女郎等に賣らねばならず、或村では一村で百名も賣られて行つたといふことだ**」「**母體の榮養不良のために乳が涸れて餓死に瀕してゐる乳幼児が三萬五千餘名もあつた**」と記す。想像を絶する惨状だったことが伝わってくる。そして「**政府の倉庫にはまだ澤山な米もある時世に、これ程の状態になるまでも救濟を急がなかつたことは何事か……無いのは農民の金と當局者の誠意と國民の同胞愛だ**」と、救済策を怠り、施すべき対策を急がなかった政府への強い憤りを訴えている。

為政者は同胞大衆を救う気があっただろうか。政府の備蓄倉庫には、大量の備蓄米が積まれていたようだ。なぜ、この備蓄米を緊急救済策として大衆に放出しなかったのか。

何も政策を施していなかったとは言わない。乳幼児保護所を開設したり、欠食児童対策や農村対策も施していた。

しかしながら万全を期していたのだろうか？　それとも成果がでなかったのだろうか？

どちらにしても完全な国民大衆の救済まで至ってはいなかった。

コラム「街頭経」は「**東北六縣の知事、冷害救濟要求の協議會を帝國ホテルで開催　此等の人達だけは温かい**」と書く。

国民は寒さと飢えに苦しんでいる。救済策を話し合う温かいホテルの中だ。本気で国民大衆の救済を考えているようには思えない。皮肉を交えてそう批判しているのだ。

疲弊に苦しむ農民を救うため起ちあがった血盟団、五・一五、二・二六があったように、昭和維新運動にとって農村救済が大きなテーマであったことはいうまでもない。

『窮乏せる農民大衆の敵帝國農會を解散せしめよ』（六号　昭和九年十一月二十日）では、農家の飯米差押禁止に帝国農会が反対したことや、提議者の民政党・高田耘平代議士の不合理な反対理由を厳しく批判する。

「貧農層の今日の生活は實に差押へられるべき僅少の飯米さへ無い者が多いのである。我等からすれば農家一年分の飯米差押へ禁止法よりも寧ろ農家一年分の飯米配給法或は保證法の制定こそ刻下の急務と想はれる程だ」「農家飯米差押へ禁止法の通過する事が地主を更に窮乏せしめると云ふ理由の反面には、これが通過しない事が農民の生活を更に窮乏せしめると云ふ事實が隠蔽されてゐるのだ」

政府は、本来救済すべき大多数の農民に目をむけるのではなく、一部の地主に有利な政策を進めていることがよくわかる。日本民族の生命である稲を生産する農民を大切にする政治をおこなわないのは、民族にとって最大の不幸ではなかろうか。

『農村衰亡の根本原因は現行經濟機構に内在　産組も小乗では駄目』（六号　昭和九年十一月二十日）で、陸軍省の阪西調査班長の言葉を引用しながら農村救済に向けた産業組合のあり方を論じる。

「農村衰亡の根本原因は、現下の經濟機構の内に存する……農村の衰亡を救ふの要諦は、現下の經濟機構を改變して……農家の自給自足經濟組合、農民教化等々論議せらるべき幾多の重要問題あるも……小乗的、近視眼的對策を排して、大乗的大局的對策の必要なることを指示するに止める」

この阪西調査班長の主張に同調して**「現行資本主義經濟組織を存續しては到底、農村窮乏を打開し得ないのであるから當然に産業組合も單なる産業組合ではなく明確に現下の經濟機構に反對の産組でなければならぬ」**といい、農村衰退を救うためには反資本主義を掲げた国家社会主義的産業組合でなければならないという。

ここでいう小乗的とは利己的、営利的、個人主義的など資本主義体制の特徴を指している。対して大乗的とは共同体主義、相互扶助主義などを指す。

個別的な組合を単一総合的組合にまとめて、効率的に各種救済策を講じていく組合が、国家社会主義的産業組合の一つの形態であった。

『資本主義諸政黨の軍農離反策を警戒せよ』（七号　昭和九年十二月二十日）では政友会、民政党の既成政党が唱える農村救済策を厳しく批判する。

資本主義体制下では、どのような農村救済策を講じても成果が出ないとし、「**農村救濟と云ふのは實は農村の地主救濟であつて耕す農民大衆の救濟のことではないのだ。だから小作及自作農救濟と云はずに農村救濟と云ふのだ**」と、既成政党は農民の味方ではないとして、農村救済の実態を暴露する。

そして、政府は陸軍国策を支持せず欺瞞的な農村救済策を目指しており、「**農民大衆が陸軍の意見を聞いてそれに贊成しその國策を實現する爲めに大きな運動を起してはならぬから、何んとかして軍農離反させたいのが肚一杯だ**」という。

また政府は、農村救済策を講じたかったのだが軍部が多くの金を使うから救済策を行えなかったといい、自らの怠慢を軍部に責任を転嫁していたという。こんな資本主義的既成政党の詭弁や欺瞞的救済策に騙されず、陸軍パンフレットを支持する国家社会主義のもと、農村救済運動を展開していこうと訴えている。

同じく既成政党批判を展開した『**農民よこれでも目が醒めぬか　資本主義政治の正體**』(**十二号　昭和十年三月三十日**)では、農村救済関係法案がお流れになったことをとりあげる。

既成政党は地主ら権力者（ブルジョア階級）の味方であり、救済すべき農民大衆のために働かない。ブルジョア政党の詭弁や僅かな資金援助に騙されてはいけない。ブルジョア政党に頼ることなく、農民が一致団結して法案の是非を自ら問うていくべきだ、という。

議会で政党は農村対策だ、農民救済だといいながら、なぜ救済すべき農民大衆のために働かないのか？

「地主の政黨だから、たとへ農民の爲めになつても地主の爲めにならぬ事には決して贊成も努力もする筈がない」

政党の階級的本質を示している。この本質は昔も今も変わらない構造だ（自民党は企業側、立憲民主党は労働組合側のように）。資本主義体制下での政党の本質としては仕方あるまい。支持する階級優先の政治を執り行ってしまう。

支配階級本位の政治ではなく、民族全体のことを優先して実行する政治を執り行っていかなければならない。

二、国体的農村共同体の建設へ

「街頭新聞」十一号付録は、国体的農村共同体建設について問題提起する。付録の発行元は大日本国家社会党掖上《わきがみ》支部および「街頭新聞」ではなく、愛国農民団体協議会なる団体だった。この協議会には皇国農民同盟（代表吉田賢一。西光万吉もメンバーだった）も加盟しており、国民大衆への啓蒙の目的で「街頭新聞」の付録に掲載したのだろう。

見出しは**「國民精神總動員に就て」**で、スローガンとして**「皇國日本の農民大衆よ、戦は**

これからだ」「眞に國防力の充實する國體的農村共同體の建設に努めよ」と記す。

満洲事変以降、中国の抗日軍の背後には、ソ連の思想、イギリスの資本がついているという。その根拠を示しながら詳細に情勢を論じており、長期戦の備えとして国民精神を総動員し、国体的農村共同体を建設しなければならないといい、「国民精神総動員」について「**皇國日本の全同胞が一齊に、この神ながらの道に精進することだ。赤子思想に目覺むれば個人主義は淨化せられ、奉還思想に正氣づけば私産觀念は清算される、實にこの道は唯物思想と唯心思想を超えた道だ**」と説き、神ながらの道について「**高天原以來の神ながらの無我執觀たる赤子思想と、神ながらの無所有觀たる奉還思想による安心立命の清淨境、『人間の祖國日本』の神域がそれだ**」とする。

タカマノハラには私有、私産観念がなく、赤子思想と奉還思想に基づいた親和共同母権制社会だったとするのが大日本国家社会党および「街頭新聞」の考えるタカマノハラの世界観であって、私有財産制を核とするローマ法的資本主義を打倒し、搾取、差別、疎外なき公平、公正な世の中をつくることが高次的タカマノハラの展開であり、大日本国家社会党および「街頭新聞」の目指す昭和維新思想だった。

大日本国家社会党および「街頭新聞」の最終目標は、日本への回帰である。「唯物思想と唯心思想を超えた道」こそが西洋近代思想の超克であり、正しい国体理想社会への回帰だと考えたのだろう。

国民精神総動員にむけて現実的な改革も政府に要望すべきで、「**村政機構や土地制度の改革が必要。肥料の國營や電力の國營も必要**」と改革の要点を指摘する。

電力や肥料の国営化の必要性を論じながら、「**皇産經濟の根幹組織は、重要産業の國營でなければならぬ。苟**《いやしく》**も、皇國の重要産業が個人的營利經營によらねばならぬと云ふ事は恥ぢねばなるまい**」と、個人的営利を目的とした重要産業の経営の排除を主張する。

資本主義打倒には、重要産業の統制、国有化、土地と資本の国有化、共有化などの統制、計画経済は必須政策だ。

一方、資本家階級が唱える国営化経済組織の欠点は、「**國家的經營自體にあるのではなくして『お役目仕事』以上の仕事をしない墮落した役人根性に在ると想ふが何うか**」と指摘している。

的を射ていると思う。どのような制度であろうと完璧なものはない。資本主義であろうと社会主義であろうと役人根性は変わらない。国家社会主義経済組織の建設過程では如何にしてその欠点を克服していくか。

官僚主義も含めた堕落せる悪状況を防止すべく、適材適所に有能な人材を配置して、統制と計画、調整と均衡に基づいた経済社会運営を執り行っていけば、円滑に諸制度が機能すると考えていたのではなかろうか。

経済機構の改革のほかに村政機構改革も訴えている。「**自由主義經濟の發展期に組上げら**

れた今日の村政が、全村の經濟を統制する能力を缺く事は當然」とし、村会を解体して財務、厚生、農業、学業などすべての分野を各委員会で統一して政治部による村政機構にするべきだという。そうすることで、「**聖事マツリゴトを冒瀆して俗事中の俗事たらしめた金權政治家共は深く反省すべきであらう。村の俗流政治を、聖事マツリゴトにかへせ。赤子思想と奉還思想に目覺めよ、村は聖事マツリゴトによつてのみ榮える**」といい、村政改革によって聖事的マツリゴトが執り行われ、農村の栄え、銃後の護りが確立されると説く。

国体的農村共同体建設によって同胞愛を深め、生産力を高め、長期戦に耐えることができる。それは、「**日支の問題ではなく、全世界の人間を、唯物思想と個人主義から引上げて、物心一如の大きな同胞世界を創り上げるための、最も大切な基礎工事だ……まづ東方アジアを搾壓のない淨い暖い強い大きな同胞世界に立て直さねばならぬ。更にイギリスの冷酷な搾壓に苦しめられてゐるインド三億の兄弟を解放せねばならぬ。更に、全アジアのみならず全世界の搾壓されつゝある民衆をも、『よものうみ、みな、はらから』の大御心にそひ奉り、八紘一宇の高次的タカマノハラ展開のためにタカマノハラの民として解放し引上げねばならぬ**」

国体的農村共同体の建設は世界的タカマノハラへの構築へとつなげていかねばならない。そのために戦場の兵士と国内の国民が一体となって崇高な理想（高次的タカマノハラの展開）に向かって国体的農村共同体を建設しなければならないと訴えている。

三、日本的農業と高次的タカマノハラの展開

『君民一如搾取なき高次的タカマノハラを展開せよ』（十七号　昭和十年七月三十日）では、「日本でも、天照大神は太陽の神であり農業の神だと信じられてゐるが、ギリシヤやドイツでも、やはり古い時代の農業の神様は女神である」と、我が国だけではなく世界でも古来、農業の神は女神であったという。さらに、農業を女性の仕事として定めていた国は多いといい、「農業についての大切なマツリゴトには男は参加することはできず女ばかりでマツリゴトをしたり、共産の農産倉庫は必らず女が管理してゐるところもある。タカマノハラの歴史を讀むでみても農業に關係ある神様は皆女神ばかりだ」と、女性と農業の関係性を述べる。

農業の豊作・不作は自然の影響によって決まるので、「人は神をアガメてこれをマツリ、五穀の農作を祈ることになる。さて、この場合の神とは何か。それは、自然力と人間力とを生産的に調和し組織する不可思議な人間以上の生産者だ。そして古代人はその神のお告げに従つて、時に應じ所に應じて勞働力を組織した。そして、その神のお告げは實に永い間の先祖代々からの經驗の結果を積み蓄へた最適の結果である」と、古代の人々が五穀豊穣を神に祈ったことの論拠を詳しく説き、「自然力と人間力を生産的に調和し組織して人間以上の生産力を發揮させた中心母性は、まさしく不思議な大自然の神秘に通ずる現神《あきつみかみ》である」と述べて、母神とマツリゴトの関係性を「古代社會の大母神がその赤子等のために行ふ社會的生産

組織の中枢作用をマツリゴトと云ふのだ。更にタカマノハラでは、かやうな農作豐穰のためのマツリゴトに附きしたがふて、一切の社會的道徳的な儀式が行はれ同胞愛が保たれてゐた事も疑ひない」と述べる。

この章の最後にとりあげる『**赤子思想と奉還思想に立つ　人間の祖國日本**（一）』（**三十九号昭和十一年七月二十日**）は、猪俣津南雄（労農派の経済学者）の論文『日本的なものの社会的基礎』から、農耕様式にかかわる箇所を引用しながら日本的なものを論じていく。

結論が先になるが、日本的なものは、日本的農耕様式のもとでなりたつとしている。

日本の農業の耕作様式の在り方について急ぎ改革をしていくべきで、改革を進めるうえでの「日本的なもの」の思想的な要点を次のように記す。

「**如何なる日本的なものと云へども既に日本的なものとしての資質を變じたもの、即ち日本國體の理想實現に反するに到つたもの、廢止に躊躇せぬ**」

「**日本的なものとさへ云へば之を輕視し、或は放下する事によつて我等の人間性と世界性が完成されるかの如き考へは、我等にとつては單なる妄想に過ぎない**」

「**日本的なものによつて、何れ程《ど》日本人の深大な人間性、日本社會の世界性が創造され發見され養成されて來たかに就ては語られてゐない……我等にとつて、日本國體の理想實現と我等の人間性、世界性の完成とは同義語である**」

ここでいう日本国体の理想実現とは高次的タカマノハラのマツリゴトの展開を指してお

り、その理想社会実現と日本民族の人間性、世界性の完成は同じものだとする。

アジアの立ち後《おく》れはアジア的水稲耕作に原因があるという猪俣の主張に対して、

「水稲耕作の特殊性がいかに我國の社會的發展に作用したかを注意し要視するものである……この水稲耕作の方法を合理的、科學的に一變せんとするものである。けれ共、これは決して耕作上の一切の日本的なもの、廢止ではなくて、寧ろより良く日本的にする爲めの改革である」

「非國體的なローマ法的所有観念に囚はれて、農業生産の増大と其の方法の合理化を阻む利己的耕地支配の陋習を打破することである。そして、皇産分用の本旨に基く農耕制度を確立することである」

本来の日本的な農耕様式は、赤子思想と奉還思想に基づいた生産組織であり、非国体的なローマ法的所有観念や、地主と耕作者の誤った生産所有観念を改めて、すべての土地を国有化した日本的な農耕様式に改革しつつ、国体的農村建設を進めるべきだというのであろう。

農業耕作様式も資本主義化しているが、その進行過程で重圧（搾取や階級分化）に堪えかねて諸矛盾に気づいた農民たちに、反資本主義の自覚が芽生える。それは根幹に原始的タカマノハラの伝統思想があるからだとする。

「日本にはヨーロッパに見る如き奴隷制や封建制の完成形態は見られなかつた、けれ共それだけ社會的矛盾が激甚でなく、階級闘争は酷烈でなかつた」

「日本は餘りにアジア的である、今日アジアの諸國に於ても既に消滅して見られない多くのものを日本は保有し完成してゐる。廣大な地域と悠久な年代に亘るアジア文化の一切は日本に集約されてゐる。たゞにアジアのみならず、世界の諸國、諸民族が既に失ひ、或は歪め、或は萎縮せしめてゐるものをも日本は生長的に保有してゐる。従ってこの意味に於て餘りにアジア的であり、世界的であると云ふ事こそ、日本の特質であり獨自性であるとも云へる」

アジア的な水稲耕作の特殊性が立ち遅れの原因であったとしても、世界やアジア諸民族のなかで消滅した文化や伝統などの良きものは、日本のなかに集約されて発展しているという。

「日本の社會には何の發展段階に於ても對立階級に共通するねばり強い社會性があつた。そのねばり強さは、實に特定の社會内に發生したものではなくて、それ〲の特定社會を生長的に一貫するものによるねばり強さである……日本には總ては日本化せずにはおかぬ本質があり、その理想があるからだ。それは實に人類をして所謂動物的生活を超越せしめ人間生活を展開せしめた『マツリゴト』の理想であり、奴隷制社會より更に古い原始社會の本質を失ふことなく生長的に保有してゐたからである……資本制の今日の國家へまで、その最も古い社會形態を本質的に發展させて來たのだ」

日本が外来文化の消化力、文化遺産の蓄積力があったことの根拠を示している。

「今もなほ資本制の独占的毒氣に喘ぐ諸國の農民達の間には、マルクやツアドウルーガや班田制の夢は消えず、いよいよ其の形を凝結せしめて高次的に實現されんとさへしてゐる。

そこでは、これは古い史上の遺物であるよりも、新しい社會的活氣の源泉である。立後れた過去的なものと見られる日本的なもの、内にしかも未來的な大きな進歩力と秀でた高次的復古性を認め得るとすれば、それは單なる立後れでも過去的でもない。反つてそれは若さであり新しい社會的活氣の源泉である」

猪俣がいう「日本的なものの社会的基礎」も単なる立ち後れではなく、資本主義に基づく制度や耕作様式などを日本的に改革することで高次的タカマノハラのマツリゴトが展開され、日本的なる真価を発揮していくだろうという。

日本のマツリゴトの根源は、いうまでもなく農であろう。その原点たる斎庭《ゆにわ》の稲穂の神勅で、高天原の神聖なる稲穂を国民に伝え食していくよう仰せになられている。

日本民族の生命的根源である農を守り伝えていくことを基本軸に据えて、高次的タカマノハラのマツリゴトを地上に展開させる一環として、日本的な農業の諸改革をなすべきだと考えたのだろう。

第十一章　皇産分用権と皇産経済

一、私産所有権か皇産分用権か

本題に入るまえに、皇産分用権について説明しておきたい。

皇産分用権とは何か？　すべての生産物は神のものである（皇産）ことから、私有は許されず、共同所有とすべきである。よって国民のため、共同体のため公正、公平に有効活用していく権利（分用権）のことである。

「街頭新聞」は繰り返し、資本主義を打倒して、皇国、皇民、皇産の立場から、ローマ法的私産制とロシア的共産制を超えた、奉還思想と赤子思想に基づく日本的皇産制を構築すべきだと訴えてきた。

『私産所有権か皇産分用権か　皇道經濟の基本思想』（二十五号　昭和十一年五月十二日）は、ローマ法的私産制に変わる皇産分用制についての基本的な所信を訴えている。

タカマノハラの世界より伝わりし国体の基本思想は、奉還思想と赤子思想である。そうである限り、ローマ法的私産制は認められないことはいうまでもなく、我が国での皇産分用権の必要性について次のように述べる。

「ローマ法的私産が主權に負ふところの義務は納税であるが、日本に於ては其れは奉還であり納税は第二義的性質であるよりも寧ろ部分的奉還であらう。従つて奉還思想を核心とする日本的所有權は嚴正なる意味に於て私有權ではなく、まさしく分用權である、即《すなわち》、皇民た

るの人格的基礎の上に附與されたる皇産分用權でなければならぬ」

私産制度のもとでは納税制度が中心にあり、会社、国民から集めた税金で国家を運営していく。多額の税金を納めている者ほど発言力や影響力があり、階級史観的には権力者の一角としてのブルジョア階級を構成している。

皇産分用権のもとでは、奉還思想が基本であるから私有権は認められず、国民の義務は納税ではなく奉還であるという。当然、日本国の憲法で保護されるべきはローマ法的私有権ではなく、皇産分用権であり、国体思想に反する資本主義的個人主義は否認されねばならない。

「分用を許されたる如何に零細些少なる金錢財物たりと雖も、今日の資本主義制下の世相に見る如く同胞大衆の勤勞果を搾取し引いては其の人格を壓迫する等の爲めには斷じて行使し得ざる性質のものだ」

皇産分用権制度のもとでは私産制度下でみられるような国民への悪弊（人間の疎外、搾取や差別）はなくなり、皇民らしく協働して生き、公平に富の分配を受けられる。

また、国体明徴が叫ばれ忠実に従うと自賛している者のなかには道理を弁えない輩《やから》がいるとして、

「『日本臣民はその所有權を犯さるゝことなし、公益の爲めにする處分は法律の定むる所による』てふ條文を解するに當つて國體的に徴せず、ローマ法的私有觀念を以てするが故に、處分されざる財産は公益のためにするの要なしと思考し、果ては公益のために處分せられざ

るを希ひ、法を免れて、はぢなしとするに至る。之れ皇産を私しする者にして國體を冒瀆するの甚しき者だ」

法律を盾にとって自分らの私産や権益を何が何でも守りぬこうとする個人主義的利己主義者は、皇産を自分のものにして国体を冒瀆する者だと厳しく批判する。

日本的所有権はローマ法的私有権ではなく、皇産分用権であるべきで、「**皇道經濟を識らんとせば先づ皇産分用權を識らねばならぬ。其れは繰返す如くブルヂヨア的私産所有權とは本質的に相反し、萬億に分用するとも同胞を搾壓すべからざる皇産だ**」

だから、外来思想の私有権などと言わず、皇産分用権と言おうと提唱する。

皇祖の生み給いしものはすべて、私することなく天皇へ奉還すべきであり（奉還思想）、すべての国民は、天皇のもとに公正、公平、平等であるべきだ（赤子思想）。この基本思想がタカマノハラのマツリゴトであって、すべての財物、土地、資本などを国有化、共有化して、天皇の御心（国の平安、民の平安）に副うよう、国民生活の発展と福祉の向上、民族共同体の繁栄のため活用すべきなのである。

そして統制と計画、調整と均衡に基づいた国家社会主義的経済社会制度のもと、国民一人ひとりが分ちに応じた仕事、奉仕をして、共に働き、共に扶け合い、共に支え合い、公正に富を分配して、天皇と国民が一体となる民族共同体社会、それこそが国体の理念である。

搾取や差別や疎外のない、公平・公正なタカマノハラのマツリゴトの基本制度は皇産分用権なのだ。

二、日本的皇産分用権とは

『魔神　ドミニウムを倒せ　日本的皇産分用権　皇道經濟の基本思想に就て』（二十六号**昭和十一年六月二十日**）は冒頭から、ローマは三度世界を支配し、統一したという。

「一度はローマ民族の武力によつて國家の統一を成就し、二度は其の没落後、教會の統一を成就し、三度は中世に於けるローマ法繼受の結果として法律の統一を生ぜしめた」

第三のローマ法が、今に至るも暴君ネロのように、すべての世界の勤労大衆に搾取の鞭をふるっているという。確かに、世界中で資本主義の網の目が張りめぐらされていき、資本家による労働者への搾取が制度として確立されてきた。やがて資本主義の搾取制度の弊害打破の理論的根拠となるマルクス共産主義思想が生まれ、階級闘争を実践根拠にしてロシア革命が起こり、ソ連共産国家が誕生する。

我が国の資本主義も、武力（剣と槍）で徴収されたローマのドミニウム（私有権）によってうちたてられたと述べる。

「古代ローマのパトリキイ（支配者、掠奪者）達が、釼と槍にて其のドミニウムを確立した如く今日の世界中の資本家達も、そのローマ法的私有権を武器として、恰もブレフエクツラ

（ローマ帝國の隷属國）**の民衆の如く同胞大衆を搾壓する。……神聖不可侵の私有權を本尊として、近世私法は其の一切の法律關係を構成してゐる」**

世界中の資本家たちによる搾取制度の原理を指摘する。

不公正な体制に対して民衆の不満が溜り、現状を革新すべしとの思いが結集して立ち上がるのはありがちなことである。古代ローマのパトリキイ（支配者、掠奪者）たちが、剣と槍の武力によって打ちたてたドミニウムのように、資本家、地主等ブルジョア階級もローマ法的私有権を武器として世界中の国民大衆を搾取していた。こうした制度は国体思想に反しており、**「我國に於けるドミニウムは、同胞大衆の膏血にまみれた其の醜惡な姿を、國體明徴の法廷に突き出され、皇産冒瀆の罪科を糾問されねばならぬ」**私有制度は皇産冒瀆の罪で厳しく糾さねばならないと主張する。

我が国では、徳川三百年の封建制度が明治維新によって倒された結果、天皇を中心とした王政復古の御代を迎えた。

維新後の資本主義的私有権は、発生当初は醜悪ではなかったという。

「永年に亘つて皇産を冒瀆し來つた頑迷固陋な封建的法律に比して、より皇産に奉仕するに忠實であり、よく同胞大衆の武器となつて舊幕的諸法制の克服に役立つた。それは身分的階級差別の甚しき舊幕的諸法制に比して遙に公平で一視同仁、庶民平等的であり舊幕的身分上のシツコクから解放されたる自由であつた。その自由、公平とは實に『新なる正義觀念に

よる傳統的法律体系の匡正である』」

明治御一新で旧幕制度が廃された。これにより前制度（封建制度）と比べて公正、公平な制度ができたであろうという。「一視同仁、庶民平等」こそ高次的タカマノハラ理想社会の基本的要素であり、天皇の大御心そのものである。同じ民族同胞の間で差別があってはならない。しかし残念ながら今でも、あらゆる差別が存在しているのは悲しいことであり、憤りを感じる。民族同胞間の差別解消を目指すのも、我が国民にとって大事な課題なのである。人間が尊重され、人間性が完成された社会「人間の祖国・日本」をつくるべきだ。

明治以降、新しい社会経済の制度として資本主義制度が定着してきた。当初は私有制の弊害もなかったが、発展につれて搾取や疎外のような弊害が現れてきた。資本家もパトリキイ（支配者、掠奪者）のような本質を現し、更に独占資本主義の段階では皇産を冒瀆し、みずから分用権に代わろうとするほどの勢いを示すにいたり、我が国は資本主義の発達段階にともない資本家が支配者としての段階を進んでいると指摘する。では、どのような大衆支配を資本家は確立したのであろうか。

「資本主義の發達した現代の個人所有權は、資本家による生産手段の獨占を現出してゐる。この獨占的所有權は生産過程に關輿する勞働者を支配し、又獨占所有者が生産物の價格を專斷的に決定し得るが故に一般消費者をも支配してゐる。更に一般消費者を支配するが故に同種の商人をも彼等の門下に屈服せしめる結果を導く中世の土地所有權の支配と同じく、現代

は資本の形をとつた個人所有權の支配を再現せしめてゐる。物に對する所有權が、かくして人の上の支配にまで擴大した」

こうした所有権の拡大が人の支配にまで拡大していき、皇産を冒瀆して分用権を蹂躙してくると警鐘をならす。

「明らかに皇産の冒瀆であり分用權の蹂躙である。およそ奉還思想を核心とするかぎり日本的所有權はまさしく皇産分用權であつて、それが皇産たる限り斷じて同胞搾壓に行使せらるべきではない」

日本的所有権はローマ法的私有権ではなく、奉還思想に基づいた皇産分用権である。皇産分用権に基づく経済体制こそが理想郷の社会であり、高次的タカマノハラ世界観の根源なのだ。人間の解放、万人平等の世をめざすことを思想的根拠に定めているからには当然、一部支配者による搾取制度を認めることはできない。

我が国に明治維新初期にドミニウム（私有権）が入ってきて、やがて搾取制度ができ国民を苦しめる横暴をなす制度になるとは、当初、人びとは予想すらしなかったであろうという。

「彼等は土地支配中心の封建的經濟の崩壞につれ興起し來る金錢支配中心の資本主義經濟の波頭に乘じて舊幕的諸法制が冒瀆し歪曲隱蔽したる皇産の本質を發揮せしむべく、フランス經由のドミニウムを輸入したと想はれる。しかし、そこに後日間違ひの因があつた。彼等は勿論、資本主義制度の輸入に當つても相當な吟味をし、相當に日本化したにも拘らず、尚

鬱陶しい封建制に慣れた眼は急激に資本主義文化の絢爛たる光彩に接して眩惑された」

皇産の本質を発揮するためにドミニウムを採り入れたことに間違いがあったのだと述べ、「**我国に於て急速に確立すべきものは、實に皇産の分用權であるにも拘らず、ドミニウムだと誤解した**」と断ずる。

私有権は個人主体の権利であり、皇産権は公益客体の権利である。このようにドミニウムと皇産権との内容の相違をみても、資本主義が日本化の進行過程で弊害を起こすのは必至であったと思う。実際、わが国で資本主義が発達するにつれ、西洋化の波に押されて日本の伝統・文化が喪失させられる状況に見舞われ、政治経済体制や国民生活に悪影響を及ぼしていく。こうした状況に対峙して、日本を覆う西洋化の弊害を改め、日本の政治経済を正道に戻すべく立ち上がったのが昭和維新運動の発端だった。

当時の維新運動では「皇道経済」「土地、産業等の国有化」「私有財産等の制限」といったスローガンが数多く叫ばれた。支配被支配の階級制度を確立して同胞分断を行う経済制度を革めて、「一君万民」の皇産的分用権思想に基づく経済社会制度（高次的タカマノハラ）を構築しようと訴えて昭和維新運動を展開した。

ローマ法的私有権に基づき、政治・経済等のあらゆる分野で資本主義的支配統治体制が確立されてきたと定義しており、そのローマ法的ドミニウム（私有権）の核心について、

「**元來『ローマ法では政治的公法の領域と取引的私法の領域とは最初から判然と區別され、**

私法の領域では個人の自由意志が絶對的な權威を有し個人の意志活動が總ての法効果の淵源であつた』……『ローマ法に於ける所有權の本質は、所有者の獨裁的な自由な處分權であつた。所有者が法律上、物に對する自由なる處分力を保持する限り、所有者がその所有物上に他物權を設定して、物の使用収益の全部を他人に委ね、其の所有權の實体が事實上に於て空虛な權利と化しても、尚、所有者が自由な處分權を有する限り、彼は所有権を有した』……『所有者はこの自由な處分力を通じて物に對しては其の全面に於て完全圓満な支配を爲し、人に對しては排他的な專屬的な支配力を擴張する事を得た』およそ斯の如きローマ法的所有權を以て、皇產の本質を發揮せんとするは無理であり、私有權と分用權の似而非なること固より論を俟たぬ」

と言い、北一輝の『日本改造法案大綱』から「私有財産限度」を引き合いにだして、

「一家の所有を壹百萬圓に制限せんとしてゐる……即『個人ノ自由ナル活動又ハ享樂ヲ求めしむるに必要なる『私有財産』とは如何なるものか……この權利こそ明白に個人の自由意志が絶體的な構成を有し、個人の意志活動が總ての法効果の淵源であるところのドミニウムではないか……勿論、私有財産を人格的基礎とするものは民主的個人でありブルヂヨアでありパトリキイである」

と書く。法案（『改造法案大綱』）では、企業、銀行等の国営化を明記しているが、私有財産や土地所有に関しては限度制限額を設けている。僅かであろうとも私有権を認めことである。

ある意味、北は法案（『改造法案大綱』）で、資本主義と社会主義の混合経済制度、一体化制度を提案している。

私有を僅かであろうと認めることは、所有する「持てる階級」に「持たざる階級」が搾取されることにつながる。またそれは部分的にブルジョア階級の所有を認める折衷的制度であり、労資協調路線と変わらぬ制度ともとられてしまう。

国家社会主義のもとでは、あらゆる財物を私することは許されない。土地や資本、生産諸手段などは国有化される。そしてすべての財物を共同所有として、国家による統制と計画、調整と均衡のもと経済社会制度を運営しながら、民族共同体（国家、国民、公益）にとって役にたつよう活用されるのである（皇産分用権）。

日本的皇産分用権の基本軸は、天皇のもとですべての国民は平等であり、公正、公平であるとの思想だ。一切の私有権は認められないことはいうまでもない。

ローマ法的私有権を批判するこの論文は、最後に次のように総括する。

「皇民たるの人格的基礎の上に附與されたる皇産の分用權を主張する我等にとつて、ドミニウムこそ皇産を私し冒瀆する非國體的ブルヂヨアの兇器である。ドミニウムこそ日本精神の基本思想たる赤子思想と奉還思想を嘲笑し、同胞大衆の膏血を犠牲とする資本主義の祭壇に祭られたる魔神である。魔神ドミニウムを倒せ」

天皇に所有権を奉還して（奉還思想）搾取・差別がなく、人間の尊厳が活かされるよう（赤子思想）皇産分用権を基盤とする高次的タカマノハラのマツリゴトの実現を目指すからこそ、皇産的分用権を冒瀆するドミニウム（私有権）に基づくブルジョア支配体制（資本主義体制）を倒せと強く訴えたのだ。

三、プロレタリアドミニウムと皇産分用権

『プロレタリアドミニウムと皇産分用権』（**二十八号　昭和十一年八月三十日**）では、ソ連新憲法（スターリン憲法）の私有財産権（プロレタリアドミニウム）と皇産分用権を比較論証している。

ロシア革命後、ソ連政府が成立して、レーニンのもと憲法が公布された。その十二年後、スターリンのもとで新たに作成された憲法を、この論文は、「**階級國家憲法から國民國家憲法への推移**」と定義する。確か左翼史観では、社会主義から共産主義へ向かう過渡期の（国家、階級の死滅を目指していくプロレタリア独裁）憲法ではなかったか？　つまり逆であり、実際はソ連をはじめ共産国の体制は国家、階級の死滅を目指すどころか強力な一党独裁国家であり続け、正左翼史観（マルクス主義）？　に相反するスターリン体制を生みだしてしまった。

さてソ連新憲法では一定の私有財産を認めており（一、社会主義経済組織であっても、個人労働や個人農など小規模私的経済を許すが、搾取は許されない　二、個人の生活財産等の所有は許される）、各

人の能力に応じて働き、その労働の成果分の報酬を受け取った。こうした新憲法の私有権をみながら次のようにいう。

「『資本主義經濟制の清算、生産手段並に生産機構の私有廢止及び個人による搾取撤廢』の或程度の効果の上に始めて押出されたものである事を認めない理《ことわり》にはゆかぬ……それはブルヂヨア的私産權に比して甚しく制限はされてゐる。けれ共、それが如何に制限されてゐるにもせよドミニウムとしての性質に些《いささか》の變化もない、同憲法が個人に能力差に相應する報酬を保證して貧しきプロレタリアの隣に富めるプロレタリアの存在を奨勵する如く、共産主義の一隅に小さい乍《なが》ら、より頑固なドミニウムが保證されてゐる。しかも、この壓縮されたドミニウムこそ寧《むし》ろロシア的共産主義の本尊ではあるまいか……古代パトリキイのドミニズムが槍によつて、近代ブルヂヨアが資本によつて、更に今日プロレタリアが勞働によつて主張されても、その主張が個人的『我執』に立つ限り、從つて共産が私産に變質される限り、それは今日のブルヂヨアが國家の名によつて他を搾取せんとする如く『社會』の名による社會的資財の私有であり不幸なる隣人の分配物の搾取である」

確かに資本主義時代に比べてブルジョア的私有権に制限が設けられた。しかし私有権の自由がいくら制限されたとしても、私有権の残滓《ざんし》があるかぎり、ドミニウムとしての私有権制度は成立しているのである。ソ連では、実際に新しい官僚支配階級が生み出された（ネップマンなど）。

いくらブルジョア的搾取がなくなっても、プロレタリア間の各能力（知力、体力など）の違いで格差が生まれてしまう。プロレタリアドミニウム（私有権）であり、新しいプロレタリア搾取、格差である。

如何にして私有権を払拭し、搾取も差別も疎外も不公平もない体制（皇産分用権）をつくっていくのか（いくら体制が変わっても、これを超えられない限り無意味）。

「個人の能力差に相應する報酬なるが故にその資財が大切なものではない私の額に汗して働いた結果なるが故にその物品が有難いのではない、勿論、それは他を搾取し詐取して得たるものよりは良い、だが、我等皇民にとつて一切の資生産業のたふとさは、實にその億兆分と雖も皇産なるが故にたふといのである……『我執』はドミニウムによつて絶對的な主張を通さうとする。殊にプロレタリアドミニウムに於てこの陥罪は深いであらう……同胞一如、赤子思想と奉還思想に歸依し、一時も速に皇産を冒瀆するドミニウムを絶滅し、一切財物無私有觀の國體的理想境にまで精進せねばなるまい」

個人の我執を超え私有権を放棄して、すべての者が共働共存する民族共同体、タカマノハラの理想的世界観をいくら訴えても、そんなものはどこにもないユートピアにすぎず、実現不可能であると言われかねない。

しかし、やがて資本主義や新自由主義も限界を迎え、新しい制度が生み出されるのは歴史的必然なのだ。永遠普遍の制度などありはしない。

我が民族には基づくべき理想の原点がある。
それこそが国体的理想社会の建設であり、今に生きる我々にとって最大の使命ではなかろうか。もはや資本主義、新自由主義を超える思想構築を進めるべきなのだ。

四、日本的皇産制と自作農化

『皇産制確立への政策として所謂「自作農化」は正しいか』（四十一号　昭和十二年九月二十日）は、結論として、日本農村社会の支配構造（地主、小作関係）の変革を訴え、**「皇産經濟制度確立への基礎政策として所謂自作農化は正しいか、それとも、皇土を耕し皇産をつくる皇土耕作權の確立が正しいか」**を農民大衆に問うている。

はじめに、この時期（昭和十二年）の日本の農家統計を紹介しており、**「日本内地五百六十萬戸の農家の中、その三割即ち百五十餘萬戸は一片の土地さへ持たぬ全小作であり……全農家數の七割の農家が全耕地の四割七分を小作してゐることになる」**といった具合に詳しく農家の現状を報告している。

そうしたなか、地主と小作で争議が激化している現状を述べ、その理由を**「直接原因は勿論、諸外國に比を見ざる高率小作料と酷烈な地主權による農民搾壓に在る即ち地主の封建的な全剰餘吸収地代とローマ法的所有權の主張に對する農民の抗爭である」**とする。悪しき伝統と言おうか、封建的構造が農村社会に長く続いていた（地主が小作人を搾取する体制）。また、地主が土地を私有して小作人から法外な年貢を搾取する体制は、ローマ法的私有権の思想と同じだ（雇用主と労働者間の階級支配構造と同じ）。

論文は、農村における地主と小作人の支配構造を解決する方法が二つあると言う。

「一は全小作農に國庫より資金を融通補助して耕地を所有せしめんとするものであり、一は全小作地を直接國有にして耕作條件の改革を行はんとするものである。並用的なものもあるが過程的であつて要するに所有權を持たせて自作農化するか耕作權を持たせて國有地耕作農化するかの二途であつて、地主對小作關係の解消策はこの以外にない」

一方、政府は激発する地主対小作人の争議等の解消策に自作農法、農地法案、小作法といった各種法案を提出していた。はたして効果はどうだったのか？　論者には甚だ疑問だとの認識だったようだ。

「農地法案に就て見るも、一方に地主の搾取力を強化し、一方に大いに地主の有利な土地賣逃げを援助せんとしてゐる……崇高なる國體的理想の反映もなく、農民を皇農として浄化し高める何の用意もない。立案者は或は私法の條章にその要なしといふのであらうが、それ自體すでに私法の領域に個人意志を專制的に君臨せしめんとするローマ法的立法概念に拘泥せるものであつて、我等は單に字句挿入の有無をいふのではなく、その立法立案の精神を指すのである」

立案立法をするのはブルジョア階級（資本家や地主）の代弁をする諸政党の政治家であり、だから地主の権益を保護し、有利になる法がつくられていく。

地主対農民の支配被支配構造を廃し、封建化した現状を変革して「皇国、皇民、皇産」に基づく日本的農村に回帰していく政策が望まれた。一部の階級や権力者にばかり利益が誘導され、権益が守られているような偏った政策ではなく、すべての国民の利益が考慮された政策を実現していくことが、国体の理想に沿うマツリゴトのあり方なのだ。

では、農村における耕作権については、どのように考えていたのか。

「耕作權とは農業生産のために土地を使用收益する權利であるが、我等の云ふ場合には其れも自身及家族によつて耕し得るだけの土地の耕作權である。相互扶助的協働者以外の他人の勞働搾取を含む耕作權は農民の正當に要求し得るものではない、もし農民が自ら耕し得ざる程も廣い土地の耕作權を欲しがるならば、彼はもはや農民ではない。農民の、殊に皇農大衆の眞の生活相は、他を搾取せず他に搾取せられず、皇土を耕し皇産を作ることによつて彌《いや》榮《さかえ》んとする生活である」

これはローマ法的所有権に基づく現支配階級である地主や大農業経営者らの耕作権思想とは全く相いれない考え方であり、皇産思想の耕作権とは、皇土を耕し、皇産をつくる権利のことであった。

耕作権に続いて、所有権について地主的土地所有権に反対する意見をみよう。

「皇國の全耕地をローマ法的所有權によつて細分寸斷しなければ皇農各自の耕作權は確立しないといふのか。地上權、小作權、地役權その他土地一切の用益物權を包藏して使用、収益、管理、處分の全權能を一身に集め、それを暴君の如く行使し得る如き所有權を、果して農民は必要とするか。我等は先づ今日の地主資本家等が想ふ如きローマ法的所有觀念に反對する。かくの如き所有觀念によつて皇土が無數に分割支配されてゐる事に反對する」

そして皇農の感ずべきこととして次のように書く。

「日本獨自の耕作權に對する義理と任務を想はねばならぬ。それは耕地の改良擴大であり收穫の充實增加である。そして其のためには、今日の停滯的な不活發な農產機構に大改革を行ひ、大化改新、明治維新にも比すべき再構成がなされねばならぬ。即ち耕地整理、製肥、品種、機具、動力、金融、公租、水利、勞働組織、その他農業に關する全面的改組が必要に迫られてゐる。しかも地主らは當然これに反對である、彼等が如何に云はうとも其の地主的存在が農業の發展を阻害してゐるのである。從つてこの改革は當然皇農大衆によつて進行されねばならない」

資本家対労働者の階級関係と同じく、農村社会も地主対農民の間で搾取被搾取の関係が成立していた。土地、農地はもちろん地主のものであり、農民大衆らが自分の農地を持つことなどなかった。農地、土地が一部の者の私利私欲のために私有されること自体、日本主義思想の理想に反する。国家社会主義のもとでは土地の私有は許されない。土地は水や空気や太陽と同じく民族の生活生存維持にとって大事な基本的要素である。

土地の私有制を認めるのは、一部の土地所有者が利益を得るだけで、民族的見地からみれば不公平なことであり、民族共同体発展の阻害にしかならない。

民族共同体発展のため、国民生活向上のため、国家社会主義のもと土地は国有化されなければならない。国土を生み給われたのは皇祖である。

また国民大衆に食を与えるため瓊瓊杵尊《ににぎのみこと》が斎庭《ゆにわ》の稲穂を携えて天（高天原《タカマノハラ》）より御くだりあそばされたのだ。つまり、稲穂＝農と国土は日本民族の生命の根源である。すべては農と国土からはじまるといって過言ではない。天より授かりしその稲穂＝農を育む尊い農地を一部の者に占有せしめ、農民を苦しめる私有制度は実に国体の思想、理想社会に反している。これを大変革しない限り、日本回帰の理想は実現し得ないのではないのか。

時代ごとに悪しき権力者や社会状況が出来《しゅったい》しては、変革の時期に差し掛かるのが歴史というものである。豪族の私有を排した大化改新、徳川封建体制を倒した明治維新と、歴史の転換点ごとに行われてきた変革は、タカマノハラのマツリゴトを展開していく維新運動であったのだと思われてならない。

すべては、タカマノハラの理想的まつりごと（国と民のための政治）を地上に展開するために……。日本民族の生命＝農。農業、農民、農村の諸改革こそが日本回帰の理想展開への大きな道なのである。

第十二章　政治と聖事

一、マツリゴトとは聖事である

まずは『**所謂政治家共よ政界を去れ　政治は即ち聖事なり**』（十二号　昭和十年三月）から。副題に「**祭事を忘れた政治は俗中の俗事だ。タカマノハラのマツリゴトを回想せよ**」とあるように、政治家どもが国体に基づいた正しいマツリゴトを忘れ、権力に驕り、私利私欲の追求に奔走する俗物政治の堕落を批判した内容となっている。

「街頭新聞」は繰り返し、政治は聖事であるべきだと主張する。聖事とは、「**一點の私心野望なき所謂大乗的菩薩行であるべきだ。國體的に云へば、齋戒沐浴、淨火を受けて身心を潔白にし然るのちにて行ずべきマツリゴト**」であると定義している。

古代社会では祭政一致に基づいた同胞的共同体（民族共同体）が機能していたが、現代では聖事と政治のあるべき関係を忘れ果て、「**私産制の生長に因つて祭政分離して以來、政治は祭事を壓迫し、祭事は政治の從者的地位に置かれ**」た原因を、ローマ法的私産制度の発達だと指摘する。

祭事とは神を祭ることであり、政治は人を治めることだと定義しながら、時代によって、どのような形態をとるにしても政治＝祭事は「**マツリゴトの高次的復活であつて、その社會的基礎條件は古代のそれと同質のもの**」という。また「**祭事思想の具現者として政治的領域に君臨したのが『現人神』に他ならぬ**」とし、現人神《あらひとがみ》信仰こそが日本国体の核心であると述べ、私産制度が発展していく過程で宗教的な形態をとった政治的理想像が祭事的マツリゴトだと続ける。タカマノハラ（高天原）の御代より今に伝えられてきた民族的なマツリゴトのあり方（祭事と政治）に思いを致してしまう。

次は、選挙法にまつわる**『マツリゴトと淨き一票　選擧肅正と國體明徴』（十四号　昭和十年五月十日）**を。

政界腐敗の元凶は資本主義的自由主義なりとして既成政党の選挙のあり方を批判し、選挙粛清は国体明徴を根本として取り組んでいくべきだという。よく選挙時に連呼される「浄き一票」も**「清き一票の所有者達も、票は賣りものと心得るやうになり、僅な金で大切な一票を不正なる政治家に賣り渡し、不正なる政治をさせることになる。事實、投票を買収せんとする如き人間に何うして聖事らしき政治が實行できるものか、さやうな政治家に正しき政治を望むことこれ寧ろ滑稽至極だ**」と断ずる。

もちろん、買収する政治家どもは悪いが、買収される有権者にも責任がある。政治にまつわるこの種の悪事は古今東西にあり続けるのだろうが、我が国の憲法と政治参与、選挙権のあり方について、欧米諸国は個人的自由主義に立つのに対して、日本は同胞的調和主義に立ち、天皇陛下より付与されたものであるとして、**「聖事としてのマツリゴト完成の爲めに與へられた淨き一票は決して個人主義的自由によつて利己的に行使さるべきものではなく、あくまでも同胞的調和主義によつてマツリゴト完成の奉公として行使さるべきものだ**」という。

我が国の政治の理想は、天皇の御心、祈りである「国の安寧、民の安寧」実現に向けて政治家が私利私欲を捨て、すべての国民のために政治を執り行うことだ。それこそが、同胞的調和主義によるマツリゴト完成の奉公としての政治的展開ではなかろうか。

また、この時期大きな問題となった天皇機関説をとりあげて、

「『機關説』の如き個人的自由主義の歐米憲法同様の解釋からマツリゴトに對する同胞的調和主義的參政權の特質と其の行使の眞の目的が忘却され、賣らうと呉れやうと棄てやうと自分の氣まま勝手だと云ふ傾向が甚しくなり遂に今日の如き政界の腐敗墮落を見るに至つたのだ。だから選擧粛正はあくまでも國體明徵の問題と關聯して……公明正大なる理想選擧を斷行せよ。國體明徵によつて、從つて資本主義否定によつて斷行せよ」

と呼びかける。今も昔も変わらない選挙権買収による選挙不正の実態、欧米個人主義的政治観と我が国の政治観の比較などなど、これからの理想とすべき日本的な選挙やマツリゴトのあり方を考えるうえで多くの示唆をあたえてくれている。

二、タカマノハラ的マツリゴトの意義

次に『**君民一如搾取なきタカマノハラを展開せよ**』（十七号　昭和十年七月三十日）から、国体の淵源の項を。

当時の世情をみるにつけて「神の国」の姿ではないと言い、「**一方では大きな土地を一人で所有して多くの小作農民をイヂメてゐる者があり、一方では大きな工場を所有して多くの労働者をシボツてゐる者がある**」と、地主、資本家などブルジョア階級が一般国民を搾取して贅沢三昧に耽っているとみていた。

これに対して農民、労働者など一般国民については、「**農民や労働者や事務員や小商人等は、此頃でも避暑どころか、汗やら膏やら涙やらでベト〳〵になつて貧苦の生活をしてゐるではないか**」と、日々必死に働きながら、貧しく苦しい生活を過ごさざるを得ない勤労者大衆の悲惨な状況を述べている。

こんな世情に対して、政治を司るべき政治家連中は何をしていたか？

「**正しい政治をせねばならぬ筈の政治家共からして、現在選擧肅正など云はれねばならぬ程も堕落して、選擧權を金で買ふと云ふやうな不正をするのだ**」と、金権政治にうつつを抜かし、本来の正しい政治を執り行わない政治家の不正の実態を追及する。そんな堕落してい く悪しき現状であっても、「**やはり日本はモトモト神の國なのだ**」が、資本家、地主など有力階級だけでなく、国民大衆も日本が「神の国」であるという真実を忘れかけているのではないかと危惧する。

では、本来のあるべき「神の国」とは、どのようなものなのであろうか？　それは「『**君民一如、搾取なき國**』、『**赤子思想と奉還思想の上に建つ國**』**のことだ**」と主張する。ではなぜ日本国民は、正しい国体の姿というべき「神の国」を忘れかけているのか？　**「金持や地主が土地や資本を一個人でイクラでも所有して、それによって土地や資本を有たぬ多くの同胞を勝手氣まゝに働かせて、自分等だけが樂な生活をするために都合よく組みたてた世の中ばかりを見て、日本の國のはぢまりであるところの神士タカマノハラの世の中を想ひ出さぬからだ」**。私有権を保持する資本家などのブルジョア階級が国民を搾取して組み立てた、自分たちの階級ばかりに都合の好い体制のなかでは、日本の正しい政治である「高天原（タカマノハラ）のマツリゴト」を国民の誰もがもはや見忘れたせいだという。**「日本國體の淵源タカマノハラを毎にハッキリと想ひ浮べて居らぬから今日のやうな『神の國』らしく無い『ドルの國』のやうになつてしまつたのだ」**

「神の国」であるべきタカマノハラ的世界観を喪失した結果、「神の国」から「ドルの国」へと、我が国が、資本主義体制に基づく西洋化した国になってしまったことを嘆いている。つまり日本性を喪失した物神崇拝であろう。

営利の追求、私利私欲の肥大化は無限である。金で人の心が買える、支配者になれる、金で人間の価値が測られる、世のすべて金次第、金を神のように崇拝する悪しき拝金主義が跋扈する状況が生まれてくる。金にまみれた「ドルの国」のような世の不条理を憂えれば憂えるほど、「神つよの国のすがた」を忘れてはいけないと強く訴えるのだ。

続いて**『君民一如搾取なき高次的タカマノハラを展開せよ』（十七号　昭和十年七月三十日）**

から「マツリゴト」に関する考えをみてみよう。

日本におけるマツリゴトを次のように定義している。

「我国では今日でもマツリゴトといふ言葉は祭事にも政治にもつかはれてゐる。神様や祖先に對するマツリゴトと現在のこの國の人々に對するマツリゴトである」

我が国のマツリゴトは、前述したように祭事も政治も同一に定義されていることから、祭政一致であったとする。

ではなぜ我が国のマツリゴトは祭政一致だったのか。「**古い時代には、神々をアガメルことと、人々をオサメルことが同一であつたからだ。神をアガメルことが人をオサメルことであり人をオサメルことが神をアガメルことになる**」と、「神を崇めること」即「民を治めること」だったと説明している。以上の論拠からわかるように、マツリゴト思想は国体の道理にかなう正論である。

残念ながら当時は、「神を崇め」て「民を治める」正しい政治が執り行われているはずもなかった。

「資本家と地主の政治家共はオサメルことをオサヘルことだと想つてゐる。そして勞働者や農民大衆をオサへて資本家や地主が『神の赤子』である同胞を搾取するのに都合のよいやうな政治をしてゐる。そんなベラボーなマツリゴトがあるものか」

それどころか正反対の世となり、特権階級が「治めること」を「抑えること」と思い違いし、民を搾取しているとみていた。「君民一如の搾取なき高天原（タカマノハラ）」の理想世界にまったく反した世情に強く憤っていたことが伝わってくる。**「日本國體は、そんな同胞を搾取するためにオサヘルやうなマツリゴトを行ふてはならぬ國體だ。そして全ての同胞をへだてなく神の赤子としてアガメル政治でなければならぬ」**と強く主張している。

ではなぜ「民を抑える」ごとき間違った方向に政治は向かってしまったのか？

「私有財産ができたからだ。即ち『我れの物、彼れの物』といふ『此の冷やかなる言葉』ができたからだ」

と断定する。そして本来は**「『我れの物、彼れの物』といふ想ひはなかつた。すべての物は『神の物』であつ」**て、**「すべての物は實にマツリゴトの所産、マツリゴトによつて神から恵まれた物であるからだ」**と説く。

論の締めくくりに、「神を崇め」て「民を治める」理想的なタカマノハラのマツリゴトの仕組みについて**「マツリゴトとは赤子思想と奉還思想を統一する社會的生産組織の中枢作用だ。人を生み物を産む社會的生産組織の中枢作用だ」**だと結論づける。

それが高次的タカマノハラのマツリゴトの根源なのだ。

大事なのは歴史的に継承されてきた国体の淵源に沿うマツリゴトを完成していくことだ。

第十三章　国家社会主義の確立

一、国家社会主義と経済機構改革

『國家社會主義見地より現行經濟機構改革』（七号　昭和九年十二月二十日）は、昭和維新を目指す国策（陸軍パンフレットの主張）に反対する資本主義勢力、既成政党を打倒せよと訴える。陸軍パンフレットが発表されたとたんに政財界から反対意見が続出したことは第九章の陸軍パンフレットで述べた通りだ。

「獨逸流のナチス的であつてはならぬし……亜米利加流の統制經濟でも、露西亜流の共産主義でもなく、これは實に、所謂、皇道經濟、皇國主義である筈だ。然るに國體を誤解し曲解せる非國體的羅馬的資本主義政治家共はこれに反對するのだ。非國體的ブル政黨を打倒せよ」

すなわちソビエト共産主義制度、アメリカのニューディール政策、ナチスドイツやイタリアファシズムの全体主義、そのいずれでもない、我が国独自の経済社会機構である皇産分用権に基づく皇道経済制度を打ち建てるべきだ。

陸軍パンフレットが主張した国防国策の内容（国防に対する偏見的思考ではなく純粋に農山村救済のための資本主義打倒を訴えた）が、国家社会主義の目的（皇道経済の確立、資本主義の変革など）と同じだったことから、大日本国家社会党および「街頭新聞」は強く支持する運動を展開する。

陸軍パンフレットと戦時経済論、また国家社会主義との関係についての考察を『**戦時經濟の確立**』（**八号　昭和十年一月十日**）で行っている。

論中、戦時経済の特徴、政策について、

「戰時國策を遂行するために擧國一致内閣が生じ、凡てが獨裁的となるのは政治上の通則で敢て異とするに足りないが、それと共に軍需品の需要を充たし、國民の經濟生活を維持するために徹底せる統制經濟が行はれる。たとへば農地の強制耕作、食料品並びに軍需工業の統制管理、標準消費又は日雇の制定、原料の公平なる分配、操業の調査並びに計劃、失業救濟等々、凡そ最も大仕掛けな國家的統制が行はれるのは、敢て欧州戰争の例を俟つまでもないことである。従つて戰時經濟は甚だ國家社會主義的で、必要な場合は私有財産にすら否定的な制限を加へかねないのである。『土地収用法』の規定する所によれば、土地所有者は國家の要求ある場合は遲滯なく土地を返却しなければならない。又『徴發令』は軍需品食料品に關する限り國民の財産を無償で徴集し得ることを明かに規定してゐる。これ等は、戰時經濟が國家社會主義であることを示すものでなくて何であらう」

国家によって土地や資本などが統制されて、私有財産も制限され、計画的に経済を運営していく戦時統制経済制度は国家社会主義であるという。

北一輝が著した『日本改造法案大綱』をはじめ、この時期前後にだされた綱領や政策、提案には、私有財産、土地、資本に制限を加えているものが多い。これらの政策は日本だけではなくソ連、イタリアファシズム、ナチスドイツでもみられた。

国家社会主義の社会経済制度の基本要素が統制経済、計画経済制度、資本や土地や生産諸手段の国有化、共有化で成り立つことから、戦時経済制度に一つのヒントを得たことだろう。土地、資本を国有化、共有化して、公益を優先しながら統制と計画、調整と均衡に基づく経済社会制度を国家が運営していくことで民族共同体を発展させ、国民生活と福祉の向上につなげていくという考えが主体となっている。

有事のなかの準戦時体制時の国家社会主義制度（計画、統制経済、土地、資本、生産諸手段の国有化、共有化）だけではなく、平時から公益を主体とした経済社会体制を構築していこうとの姿勢が理想国家の実現には必要である。

次に、**『矛盾だらけの國防と財政の調和論』**（**十号　昭和十年二月二十日**）。

陸軍パンフレットの国防国策が国家社会主義的だとしてブルジョア権力者階級から批判されていたなか、国防と財政の調和論に対して民政党の小川議員が、「**國民經濟力の充實は廣義の國防であるから、財政經濟が破產されては國防**（**狹義**）**も何もあつたものでない**」と発言した。悪性インフレによる通貨信用の失墜や物価騰貴等の経済危機に見舞われたら国防どころではないし、調和政策もとれない。つまり資本主義体制下での国防と財政の調和政策は矛盾しているのである。

「**資本主義はそれ自體個人主義的自由經濟に立脚するものであつて、社會主義的統制經濟**

とは頗る緣の遠いものである。かう云ふ經濟組織の下にあつては、國防は常に資本主義的制約を受ける。攻むるも資本主義のため、守るも資本主義のためである」。しかるに戦時には「**國家的統制に反する一切の個人主義的經濟が排撃されるのであるから、經濟それ自體が既に國防的である。又國防目的の下に一切の經濟が運營されるのであるから、國防それ自體がまた著しく社會主義的である。從つてこゝでは經濟即ち國防であり、國防即ち經濟であつて……『國防の強化』こそ、『國防と經濟の調和』を圖る所以である**」

国防と財政の調和を図るには、資本主義制度ではなく、国家社会主義組織でないとやっていけないという。

国家社会主義社会経済組織は公益を基本とした「統制と計画」「調整と均衡」「資本、土地の国有化、共有化」に基づいている。個人的自由主義では物事が個々のレベル（私益優先）で動くから、統制も均衡もとりにくい。一部の者が得をして大多数の者が損をする仕組みでは到底、挙国一致体制、完璧な国防体制を維持することは困難だ。国家社会主義制度の観点から、資本主義のもとでは何故「国防と財政の調和」がとれないのかの基本的な点をおさえた内容である。

二、国家社会主義的経済制度とは

「街頭新聞」十九号（昭和十年九月二十日）に、大日本国家社会党党首・石川準十郎の小論『日本古典精神の正嫡國家社會主義』が掲載された。

この小論で述べる石川のタカマノハラ的世界観とは如何なるものであったか。

「想像される『高天原』の時代、乃至高天原から以前の時代が即ちそれである。氏族共同體は、一の共同の祖先といふ血縁關係及び血縁意識を直接基礎とし、一の共同の宗家を中心として結ばれたる、文字通り共同一體の社會であつた。謂はゆる祭政一致の起源は茲に在る。其處にあつては、たゞに祭政が共同一體であつた許りでなく、經濟も後世に謂はゆる『原始共産團體』の名を以て呼ばれてゐるが如く共同一體であつた」

ここでいう高天原の古き氏族共同体の原理と精神（祭政一致、原始共産国体）こそが国家社会主義社会の原理であり、国家社会主義者の精神原理とするものだ。

「民族的血縁的宗家としての皇室を中心とし、その下に文字通り共同一體となつて古事記に謂はゆる『天土《あめつち》と共に安く』『天土と共に榮えん』とすることこそは、たゞに今日我々國家社會主義者の精神たるのみならず、我々の祖先の建國の遺志であり……我々こそは眞の古典日本の繼承者なのだ」

原始的タカマノハラで執り行われていたマツリゴトを、現在の民族共同体に応じた形に合わせて精神面、制度面双方で構築していく日本古典精神の連綿とした継承こそが、国家社会主義思想の実践だと考える。

この石川の小論で理論展開された日本古典精神に基づく国家社会主義思想は、高次的タカマノハラ思想そのものであった。

続いて『**昭和維新史上の一記録　政府、國體明徴を再聲明**』（**二十号　昭和十年十月二十日**）。昭和十年十月十五日に岡田内閣が国体明徴の再声明を発表した。しかし声明には何の期待もかけていない。同胞大衆が奮起して国体的大改革を断行せねばならない。それこそが昭和維新運動であると訴えている。

「**美濃部學説の社會的基礎は勿論ブルヂヨア自由主義でありその經濟機構たる資本主義制度である。しかもその資本主義が獨占的現段階に於て如何に同胞搾壓を逞うして露骨なる非國體性を發揮しつゝあるかは言句を要せぬ。日本臣民は他の生活權を犯さゞる限りに於てその所有權を犯さるゝ事なしと解すべき憲法二十七條をローマ法的ブルヂヨア的に解説し來つた法學者もまた美濃部博士の學派ではないか。公益のためにする處分は法律の定むる所によるならば、赤子同胞を搾壓し彌榮《いやさか》えんとする同胞大衆の生活權を犯しつゝある獨占的大資本を公益のために處分すべき法を定めよ**」と、ブルジョア階級に有利な法文解釈ではなく、同胞大衆を搾取したり生活権を侵すような行為があれば、大資本家だろうと大地主であろうとも公正、公平に処分すべき公益性のある法を定めよと問題提起している。

社会主義、共産主義ばかりか、現行の資本主義も国体に反しており、国民大衆の窮状を救うことなどできない。国体に基づいた経済体制は奉還思想を基礎とした皇道的経済機構しかないとして、

「**現行資本主義制度自體が非國體的經濟機構なりとすれば我等はこの機構を廢止して、奉還思想を基礎とする皇道的經濟機構を確立せねばならぬ。即ち大資本家をして大金融資本大産業資本を奉還せしめ、同胞大衆の生活に重要なる經濟上の諸事業を國營とし、しかも國營の名によつて實利を獨占する資本家階級の存在する所謂國家資本主義的經營を排し、眞に同胞搾壓の許されざる皇道經濟制の確立を希望しその實現に努めねばならぬ**」

これまでにもみてきた国家社会主義的経済制度のあり方（私有財産を奉還して、土地と資本の国有化、共有化、経済諸事業の国営化、計画、統制経済）を論じている。諸事業の国営化はこの時期、経済制度改革案でよく主張されたもの（他に私有財産、土地、資本に制限額、限度額を設ける政策など）だった。

資本と土地の国有化・共有化、計画・統制経済の政策をみていると共産主義の主張と類似しているのではないかと思える。しかし国家社会主義思想とは民族の観点に基づく考えであり、共産・社会主義のように階級の観点に基づいたものではない。資本主義のような資本家優位ではなく、共産主義のような労働者階級優位でもない。どちらかの階級を主体にした考えではないのだ。

民族共同体の同胞全体主義的な公平、公正、平等的観点から考えられてきたのが高天原的国家社会主義経済制度のあり方なのである。

我が国体の根源に基づく皇産、皇道経済制度の思想を、今一度再考してみて、国体の思想に合致した新しい経済社会体制をつくっていかなければならないと切に思う。

「街頭新聞」資料編

※本文上で紹介できなかった諸論文、記事の中から選択して掲載しました。また印刷が消えている等により文字が解読不能な個所については○としています。

一、大日本國家社會黨綱領

全勤労大衆は大日本國家社會黨旗下に結集せよ!!

黨誓

光輝ある建國の本義に基き君民一如搾取なき新日本の建設を期す

綱領

一、我等は我國古來の天皇制を以《もっ》て我國最適至上の國家體制と信じ、これが絶對遵奉の下《もと》に我が國家及び國民の一大歴史的更生を期す。

二、我等は現行資本主義の無政府經濟組織を以て現下の我國家及び國民生活を危うする最大なるものと認め、公然の國民運動に依りこれが改廢を期す。

三、我等は現下の我國民生活の救濟は國家に依る集中的計劃經濟の施行に依るの外なきものと信じ、合法的方法に依りこれが達成を期す。

四、我等は凡《あら》ゆる國民はその生存の自然的基礎（土地及び資源）に於て平等の權利を有するものと信じ、我國民の生存に必要なる土地及び資源を公然世界の過當《かとう》占有國民に向つて要求す。

五、我等はアジア民族及び有色民族の解放を以て世界人類に負ふ我國民の與《あた》へられたる使命なりと信じ、一大民族運動に依りこれが實現を期す。

二、大日本國家社會黨全國代表者會議宣言（七号　昭和九年〈一九三四〉十二月二十日）

宣言

近來續出せる國内各地の災害に因《よ》つてその崩壊過程を加速度に轉落しつゝある我が國資本主義の存續の爲に〇〇的内閣と亡國的諸政黨によつて臨時議會が開始されるに當《あた》り、我が國内外の非常なる客觀的情勢に應じて、これを完全に打開し得る唯一の政黨として自任する我が黨はその第一回全國代表者會議を開催した。然《しか》して我が黨の一般運動方針大綱を確立し今後の躍進と光榮を豫告するものである。本會議が確立せる一般運動方針大綱の基本をなすものは勿論實《げ》に天皇制の歸結としての國家社會主義、國体完成としての國家社會主義であり同時に近世社會主義の歸結としての國家社會主義である。從來我等の本質、眞實を誤解曲解せる一般亡國的諸政黨は今こそ我が黨が邁進せんとする光榮の道全人類の思慕の道たる神ながらの道を展望して、その誤解曲解を直正せよ。生理的共通性と經濟的共通性の自然的統一性たる神ながらの道に行はれるマツリゴトの確立こそ我が黨の存在理由を明示する無二の目的であり任務である。本會議は敢て資本主義政黨、民主々義政黨乃至《ないし》共産主義政黨と云はず俗流日本主義正黨の前にも明白に天皇制の光輝ある絶體的本質たる赤子思想としての同胞意識、奉還思想としての共産意識による國体完成の爲の黨たることを宣言する。

皇紀二五九四年十二月一日

大日本國家社會黨全國代表者會議

三、掖上《わきがみ》村に國社黨支部結成さる（創刊号　昭和九年九月十日）

去る六月五日畝傍建國會館に縣聯合會の組織準備のため擴大協議會を開いた本縣の國家社會黨では七月三十日南葛城郡掖上村に支部を結成した。同日午後七時柏原託児所に黨員約三百名参集、司會者山田敬一氏の開會の辭に始まり　産業組合勤勞大衆化の件　政府死藏米拂下の件　小學校修學旅行費村費支辯の件　醫療組合設立の件　外數件を議決の後支部長に岸田國太郎氏（同村書記兵事係）を推し最後に　國社黨中央黨務局長　海軍少佐　斎藤直幹氏　同　縣聯組織準備委員　弓場睦義氏　社會大衆黨中央執行委員　米田富氏　の祝辭ありて午後十一時萬歳裡に閉會したが同支部は黨員中に村議三名を有して居るので對村政鬪争にも活發な活動を展開するであらう。

四、聖徳太子をお祭りください（創刊号　昭和九年九月十日）

聖徳太子を敬慕するものは獨り日本のみではありませんがことに私等瓦製作に従事するものがその唯一の神佛として信仰するのは何故でせうか。それは勿論、太子が瓦の製作を私等の先祖に教へて下さつたからでもありますが、たゞ瓦製造といふ技術だけを教へて下さつたからだとばかり考へることは皮相的であらうと想ひます。いくら瓦の製法を教へてもそれを私利私慾の爲に教へたとすれば誰も感謝するものはありません。してみれば私等が太子様を崇拝信仰する理由は、たゞ私慾のために教へられたのではなく眞實に私等の生活を向上せしめ樂にさせるために教へて下さつたからであらうと想ひます。その證拠に太子のやうに御自身の御生涯は勿論御一族の御生命までかけて私等のために働き通して下さつたお方は日本歴史の上でも他に見ることはできませぬ。各種産業上の技術を教へて下さつたばかりでなく世襲官職を廢したり奴隷制を禁じたり土地國有にしたりして私等の生活が安樂になるやうに御苦勞して下さいましたことは周知の事實です。ことに太子がお崩れになると待つてゐたとばかりに世襲官職を復活し人民を奴隷にし土地の兼併私有を行はむとする強慾非道な特權階級者共が太子の御遺族二十三柱をことごとく弑逆し奉つたのであります。實にこの言語に絶するこの大悲劇には私等はたゞ血涙をしぼるのみです。有難い太子のお慈悲を慕ひ御一族の御最後を想ふ時、泣きされぬ想ひがするではありませんか有難い聖徳太子をお祭り下さい。そして太子様のお心にそふやうに世の中を作らせて頂き皆々安樂に生活させていただけるやうにお祈りして下さい。

昭和九年八月三十日

大日本國家社會黨奈良縣瓦工組合宣傳部

五、明治維新の前衛隊　天誅組志士記念碑建立　舊五條假政府たりし櫻井寺境内　庶民平等、土地國有、年貢半減等　維新假政府の國家社會主義的諸政策發表の舊蹟（六号　昭和九年十一月二十日）

文久三年大和五條に義兵を興し明治維新の先導をなした天誅組中山忠光卿以下志士の記念碑建立の計劃は約十年以前五條町出身の國士故樽井藤吉翁等に依つて樹立せられたが、同翁の逝去により頓挫の形となつて居たが今回樽井翁と親交のあつた正親町《おおぎまち》季〇男等が中心となつて此の計劃を遂行すべく目下東都に於て活躍中であるが、明《あくる》昭和十年は恰《あたか》も義擧の七十三年目に相當するので同年八月十七日から即ち五條代官所襲撃當日迄に當時本陣であつた櫻井寺境内に記念碑幣立を完成する豫定にて正親町男等は近く〇義等實地視察のため來條する由。因《ちなみ》に、天誅組は同地代官所を襲擊後、櫻井寺を本陣として維新假政府を新設し、庶民平等、土地國有、年貢半減等の國家社會主義的政策を發表して、徳川幕府に對して最初の政治的武力的反抗を試みた。即ち假政府を宣言するや直に吉野朝以來の忠節の地たる吉野郡十津川郷に使者を發して郷兵『千本槍』を招集し、一擧にして高市郡高取城を屠むらんとして攻擊したが如何にせん高取城の精鋭なる新兵器ガラナード砲等の爲めに逆擊せられて敗戰し、以來二ヶ月餘を白銀峰、鳩首峠、風屋、鷲家口等に十餘藩の幕軍數萬に拮抗して壮烈果敢なる戰闘を續け、遂に盟主中山忠光卿以下重圍を突破して脱出失踪せるもの僅に數名。實《げ》に天誅組は大和吉野連峰に打上げられた明治維新の壮烈なる烽火《のろし》であつた。殊に當初櫻井寺に五條維新假政府を設立せる時の事情に到つては實に悲壯である。彼等が討幕の廟議一變して佐幕派の勢力高まり七卿落の報告を平野次郎より受けたのは此時であつた。勤王討幕の彼等が朝廷の名によつて反つて追討せられるべき悲境に轉落し、天誅組の最年長者たる伴林光平が悲痛にも『義を取り賊名を避けず』と大書して同志を激勵したのも此時である。勿論、維新の先驅的蜂起は他にもある。だが其の維新的政策を發表して假政府を宣言した點に維新史上特筆さるべき重要性がある、所謂《いわゆる》維新發祥地たる所以《ゆえん》だ。

六、國家社會主義的展開は産組の正當進路　無産勤労大衆を組織して金融資本の本營を衝いて（十四号　昭和十年〈一九三五〉五月十日）

國家社會主義經濟機構の基礎單位として農村産組を展開せよとは我等の恒に主張するところであつて、事實、我國産組の正當なるコースは斯くなければならぬ。即ち町村産組は、やがて來《きた》るべき昭和維新を機として本格的に經濟機構の基礎單位として、現在の村役場と併立するか或は併合さるべきものとして展開されねばならぬ。そこに産組の政治的方針を樹てられるべきだ。だが此事は、單に産組の現機構が所謂内部にあつても自主性が原因となり、外部の商權擁護聯盟からは『産組に對する官公吏の指導、援助及び事業關與と官公衛の便宜供與を嚴禁す』などと決議される程も、國家的政治關係をもつのみならず、農村産組本來の性質が國社的經濟機構の基礎單位として展開すべき必然性を持つ。それは現在の農會の如き組織方法をとるものではないにしても、所謂組合擴充五ヶ年計劃は事實上の効果を得つゝあり、やがては農會を併合するであらうし、各種事業の總合的活動を行ふことによつて次第に農村に於ける經濟統制機關の實質を發揮し、その生産と消費の全般を組織し支配するに至るであらう。だが、その爲めには、我等は産組への全農民と勞働者の加入に努めねばならぬ、所謂組合の大衆化であつて産組の正當なる發展如何は實に此の點に懸つてゐる。この無産勞農大衆の産組への組織なくしては、産組は決して正當なるコースを進み得ない。勿論、産組は維新經濟制度の基礎單位となるには相違はないが、現在の如くでは果して正當なる展開をなし得るかは疑はしく、おそらくは所謂金融資本の鐵鎖に勤勞大衆を繋ぐファッシヨの陣營へ急ぎ、そこに停止して正當なるコースへの展開を怠るであらう。その可能性は現在では充分にある。それは産組の構成要素が農村にあつては地主と中農を主力とし多くはファッシヨ的地主によつて指導されてゐる關係上、資本主義の陣營としての都市への反抗、または仲間商人の排撃などと主張されてゐても、その對立は主として中小商人及び中小工業者等であつて大商人、大工業者には直接抗爭し得ないのみならず現在の政治的搾壓者たる金融資本そのものに對しては寧ろ屈從奉仕の状態にある。しかもこの金融資本の牙城を陷落せしめない限り眞に勤勞國民の生活不安は除去されないことは勿論である。だから、産組はその正當なる展開の爲めには組織的には全小作農民及び勞働者大衆の加入に努め、それを活動主力たらしめ政治的には金融資本と國家資本の關係、金融資本と組合との關係、等を曝露し批判して、それが打倒に動員すべきだ。そしてその政治旗幟こそは國家社會主義的旗幟でなければならぬ。

七、元日の國體的意義　天照大神祭　日本精神の基本思想たる赤子思想と奉還思想の、更新的活氣發生の祭日として（二十三号　昭和十一年〈一九三六〉一月二十日）

元日は天照大神祭である、日本全同胞の柏手禮拜は實に高天原の大母神にして太陽神たる大神に向つてなされる、元日を特に大神祭として規定されてはゐないが古《いにしえ》より日本同胞にとつて元旦の太陽禮拜は、まさしく大神祭以外の何事でもない。かくて元日を冥土の旅程標となすものは知らず、およそ明朗清新の活氣に向ふほどの同胞は、萬物生命の發光體としての太陽禮拜は即ち太神禮拜であり、高次的活氣更新的生氣、彌榮《いやさか》の祝ひ喜びによる力を、この元日の柏手にこめて今日におよむだ、されば我等は今日もまた更に彌榮の力をこめて國體明徴のために柏手せねばなるまい。〇も日本國體の淵源は原始的高天原であり、従つてその國體的理想は高次的高天原の展開にある、然して原始的高天原とは歴史科學の照明によれば、まさしく大神の母權を中心として展開されたる同胞共産體であつて、實に赤子思想と奉還思想が燦々と實生活に即して顕現されたる所謂君民一如搾取なき郷土である、即ち人類を一般動物より超越せしめたるその社會的本能が極めて自然に社會的生産（生命生産をも含む）組織の中樞作用たるマツリゴトをしてよくその社會的機能を發揮せしめたる郷土である、この姓《せい》族《ぞく》社會（父系氏族社會に先行するもの）は勿論、階級闘爭と階級國家發生以前の社會であり、それを核心とするところに日本國家の超「階級國家」性ともいふべき性質があり、そこに日本精神の基本思想たる赤子思想と奉還思想が存在する。従つて、この日本精神の基本思想たる赤子思想と奉還思想に徹して之によつて彌榮えんとするところに日本同胞の正道がある、故に我等の元日の柏手も實にこの二つの相關せる基本思想の上に立つて行はるべきものであつて、單なる新年の賀であつてはならぬ、即ち日本同胞の元日の柏手は明確に國體の淵源原始的高天原を想ひ國體の理想高次的高天原を想ふ赤子思想と奉還思想に更新的活氣の發する「天照大神祭」の式事として行はるべきである。

八、街頭経

※各号の中から選択して掲載しています（すべての文章を掲載しておりません）。

第一号（昭和九年九月〈一九三四〉十日）

農村救濟が今や全國的與論となつて飯米鬪迄提起されるに到つたので昨年は一升八錢でアメリカへ今春は一升十三錢で三井へ幾百萬石かの米を拂い下げた政府は漸く一般窮農へも拂下げる事になつた。但し値段は驚く勿れ二十圓以上と言ふ。それより安くしたら三井へ拂い下げた事が無意義になるから。

本縣の窮乏養蠶家の申込總數約三萬俵と言ふ。米は欲しいが金がないから斷念したと言ふ村山間部に在り眞の救濟は先づこれ等から。

政府に農村救濟の誠意なしと見た少壯軍部今度は政友會の尻を押すと言ふ、尻を押したら頭痛が癒るか。

藤井資本家藏相米露との開戰に反對を言明す。誰だ戰爭熱を鼓吹して廻る奴は、親の心子知らずとはこれ。

第二号（昭和九年九月二十日）

文學華族、與志事土方久敬伯、勞働者と農民の國ロシアで其の國家組織を賞め我が日本の色々の制度が金持によくて無産者にわるい事を正直に演説したのが華族の體面を汚す行爲だと言ふので今度爵位の返上を命ぜられ華族から除籍せられる事になつたとの事、姦通や賭博や酒亂で暴行をしても問題とならぬ樣な人達の仲間から除籍された方がどれ程結構かも知れぬ。

十一月中恒例によつて縣會招集庶務課では增稅を避ける一方新規事業を手控へして豫算の辻褄を合せる方針だと言ふ。此の不景気で大多數の無産縣民が困り切つて居るのも顧みず只例年通りで御茶を濁す程なら何もワザ〳〵金と時間を費して縣會を開く必要はあるまい。縣會座の花形東京初下りの児玉政介丈、思ひ切つた出し物で大向ふを唸らして見る氣はありませんか。

児玉サンと言へば知事閣下、先日開催の生駒郡都跡村の農民道場の開講式へ臨場。若い講習生に對して「働け〳〵ど尚我生活樂にならざりじつと手を見る」と歌ふた啄木の様な退嬰的な思想を排して稼ぐに追付く貧乏なしの自ら窮境打開の意氣と氣力で働けと激勵されたさうですがソンナ言は年俸五千何百圓かを貰つて米の相場も知らぬ位の人の言ふ事で、働き過ぎて生産過剰で○價其の他農産物價の暴落で困つてる農民達には何の足しにもなりませんぞ。

不況のドン底に在る農村生活を救ふために可愛い娘を女郎に賣つた人の話を最近のブル新聞が報じて居る。娘のない者は何を賣るのか。

百姓の多くは酒を止めたと言ふモット困れば何止めるらん。

第三号（昭和九年十月十日）

陸軍班のパンフレットが抽象的であるのは「政治干與にあらざる」所以だ。具體化するには尚二三日早過ぎる。

と云ふことは、その國策を單に陸軍の總意であるのみならず勤勞國民の總意とする要があるからだ。

従つて、勿論、陸軍はそれを心得てゐる。即ち一般讀者に對して、その國策に就いての意見を徴し勤勞國民大衆の街頭的輿論を聞いてゐる。

陸軍自らそれを實行する意志はなくても、各省が既成政黨によつて實行しなくても、勤労大衆の街頭的與論が、それを支持し歡迎した場合には何《ど》うなるのか。勿論各省内で實行せねば、街頭で實行されねばならぬ。

陸軍の國策は今や急速に街頭的與論となりつゝある、と云ふよりも街頭的與論が陸軍の國策を決定しつゝある、とも云ひ得る。先づ交互作用といふことにしておく。

抽象的だと大して問題にしないやうなプチブルも多からうが勞農大衆は大いに問題にしてゐる。勤勞大衆にとつては國際的でなくとも國内的にもこの國策が必要なのだ。

かつて左翼彈壓に際し「眼光背に徹する」敏感を以て嚴罰を主張した若槻《わかつき》は云はづもがな政友系、官僚系は勿論、我黨の主張に近しといふ國同に至るまで「眼光紙背に徹する」までもなく、紙面の文字を讀めば判るだらう。

第四号（昭和九年十月二十日）

關西大風水害罹災者救濟の臨時議會を十一月下旬召集に決した。また毎《つね》の如く大資本家救濟議會とならぬ様《よう》勤勞無産大衆は監視せねばならぬ。

満洲に於ける我行政機關の改革問題に關して現地の猛反對にも拘らず所期の目的貫徹のため斷乎原案で押切つた軍部の態度は立派である。

これが満洲の所謂寶庫をブルジヨアの獨占から奪ひ返す第一歩だ。引續いてブル政黨積年の罪悪を摘發曝露すれば痛快無比脛に傷持つ面々市ヶ谷行の仕度はよいか。

主脳部に憲兵を頂く事は武斷政治への逆轉だとして文治行政確立のため戰ふ警察官諸君の氣持は諒とするも實務を執行するのは諸君自身であれば其處に自ら道もあらうではないか。

鈴木政友會總裁、政民聯携問題に對して現政府は民意を無視するから政黨提携の空氣が生れるのだと言ふ。所で民意は疾くに政黨を無視して居る。公式的な憲政擁護の笛で民衆が躍ると考へるのはお目出度い。

鈴木政友會總裁は次期政權を夢みて政民聯携に賛意表明との事だが左様ウマク問屋は卸さぬ。政治は力なりと言ふ観念が政友會の傳統とするならば三百餘名の無力を力に見事政權を戰ひ取つて見よ。

突如政友會の一角に鳩山前文相の不純行爲を理由とする排斥運動が起されて床次系、久原系總裁系の拮抗を表面化せんとして居る時民政黨では國盟との合同で安達總裁を入れる入れぬで紛糾し、國盟又安達派、山道派と二つになつて爭ふて居る。何《いず》れも其紛糾發展擴大の可能性充分との事。誠に政黨分解の秋。

第五号（昭和九年十月三十日）

赤字財政埋合せのため、藤井藏相増税主義に轉向、特別利得税の制定はよいが、僅に三千萬圓とは驚く。軍需インフレ獨占の資本家一人分の課税と間違つては居ないか？

財政捻出のため一般大衆税たる郵税を倍額に引上げんとの暴擧と、鐵道利益税の一般會社繰入れは、勤勞階級の斷固反對する所、剩餘金を生じる鐵道運賃の如きは、寧ろ値下げ割引きをせよ。

農村救濟土木工事費四千六百萬圓臨時議會へ提案、工事材料商人と請負業者の利益の爲めに。

大日本生産黨大會で、日本主義團體の合同統一が決議された。眞に結構だが、其の前に玉石の峻別が肝要、眞の日本主義は自稱愛國暴力主義とは別。

若槻民政黨總裁突如辭職、足元の明るい中《うち》に。

縣下六縣の知事、冷害救濟要求の協議會を帝國ホテルで開催此等の人達だけは温かい。

神州護國黨、東本願寺の亂脈から、宗團改革だと銘打つて募財拒絶を全國の門信徒に檄す。同じ事柄でも言ふ人による。

第六号（昭和九年十一月二十日）

本紙第五號所載の記事端緒となつて『日蓮御遺文集』不敬嫌疑で果然問題となる。思ひ上つた南無妙法蓮華經に一大痛棒。本紙は續々似非日本主義をテキ○暴露する筈につきインチキ日本主義者即時消えて無くなれ。

東北凶作地救濟の聲のみ巷に喧し。先年一臺灣銀行一鈴木商店救濟のみに○億圓を氣前よく投出した資本家政府は、今此の惨状に責任を感ぜぬか。それとも「我々ブルヂョアは窮乏せる貧農に知る迄はない」とでも言ふのか？

學者の専門的調査に依れば該地方の人々は榮養的に既に餓死状態にありと言ふ。萬一斃死者を出すに到れば之れ救濟に冷淡なりし現政府の責任なり。斯《かか》る救濟は慈善事業に非ず政府の當然爲すべき義務にして又責任なりと知れ。而《しか》して先づ買上米《かいあげまい》の死藏庫を無條件に解放せよ。

同地方缺食児童救濟と稱する全關西有閑婦人聯合會の賣名的募金運動近頃目障りなり。徒歩交通者への應募半強要の傍をブル共は自動車ブッ飛ばして左樣なら御免。

増税問題に關する藤井藏相の弱腰見苦し。何故に進んでブル共に一戰を試みざる、絶對多数國民の應援背後にあり、民政の賛成「頼み」とならざると同樣政友の反對怖るゝに足らず。

第七号（昭和九年十二月二十日）

何と言つても近頃の應態は臨時議會に於ける政友會の所謂爆彈動議だ。腹にもない人氣取り策に匡救《きょうきゅう》費の追加要求はよいが岡田蒟蒻《こんにゃく》内閣の解散威嚇にさへ慄い上る樣では政權の方から御免を蒙ると言ふ所だ。

いつもあの手で國民をダマして居たものだが政府の居直りでマンマンと樂屋裏を曝露したわけ時代は變つてゐる、こんな手は古い〳〵。

同議會で中野正剛君高橋藏相を今更らしく資本家の番犬と罵るハテ中野氏御自身は？其の中野氏陽明學派の先輩大鹽平八郎の濟世救民の事例を持出して、現、自稱陽明學派新官僚達の無氣力を罵倒した點だけは大いに宜しい。

第八号（昭和十年〈一九三五〉一月十日）

和歌山縣の結婚改善會と言ふのに同縣知事藤岡長和氏の令嬢も参加して結婚の諸費節約運動を始めるとの事であるが、浪費節約のためにワザ〳〵そんな團體に加入する人々の身分が羨ましい。不況の折柄、無産青年子女は「結婚」をすら節約！して居る者が幾人ある事か？一陽來復して地方官の更迭を傳ふ、宜しく政府は此の議會に於て政黨の御先棒を擔ぐ有色知事を一刀両斷することに依つて、せめて新官僚の意氣を示せ。

社會大衆黨の理論的指導者田所輝明氏逝く。信ずる所堅く、説く所明確、行ふ所徹底、敵を作れの處世哲學に生きた氏、逝いて作つた敵に惜まる、噫《ああ》！

第十一号（昭和十年三月十日）

國防婦人會は家族制度を破壊する等と有田ドラックの普選評の様な事を公言した濱田衆議院議長、郷里三重縣の在郷軍人團から反撃を受けた。今日の政黨政治が國體を破壊しつゝあるのを何うするのか、又國婦會は愛國婦人會とか云ふブルジヨア有閑婦人團體とは違ふぞ。

あれ程逃げ廻つて居た民政黨總裁を、突如アッサリ引受けた町田ノントウさん、成る程宇垣との黙約が成立したからか、道理で川卓、頼母木が懸命に架け廻り過ぎると思つた。

議會の期限あと二週間、利得稅　米一ヶ年差押へ禁止の二法案の運命共に危し、一はブルジョア擁護、一は貧農壓迫を意味す無産大衆よ！　これでも議會の正體を見○れぬか？

米穀法案で商相と農相との意見○○、世の末なり。

最近○正警官事件頻發す、只之世紀末的現象のみ。

天皇機關說は以前からあるのだ。今更、何を洗ひたてることがあるか、と云ふ者もある。

昔は無害であつても今は有害になるものもあると云ふ事を知らぬ者だ。

客観的事情の變化を見ずして新舊のみを論ずることは無意味だと御承知あれ。

第十二号（昭和十年三月三十日）

非國體學說たる天皇機關說排擊の聲益々昂《たか》く其の運動逐日旺なるは慶すべきも、其の主張に理論的深味なきを憾《うら》む。理論なき彌次馬的運動は却て國體冒瀆なり。

萬國無比の國體とは單に萬世一系たるの點か？　否英國又萬世一系なり、然れば建國三千年の歴史の古き點か？否エチオピアは四千年の歴史を有す、然らば何か？

肇國《ちょうこく》高天ノ原時代に於ける氏族中心の一君萬民搾取なき相互扶助の組織が即ち金オウ無缺の我國體の本來の姿なり。之れを維持擁護せんとするには、外來ローマ法的、所有權絕對不可侵の基礎の上に樹《た》つ搾壓本位の現資本主義經濟機構の打倒を措《お》いて他になし。物は思想を生む、不逞の機關説又此のローマ法的資本主義的自由主義思想より生まる。國體擁護の道は一つ大衆よ驀進せよ！。無碍《むげ》の一道を…。

此の理論を辨へざる排撃運動日本主義運動に何程の價値、何の意義ありや。有るものは政友會あたりの倒閣運動の別動隊的意義のみ。

一岡田内閣、一美濃部博士の進退問題に非ず、抜本塞源の機なり。曾《かつ》て難波大助の大逆事件特別裁判の際、裁判長横田大審院長は被告大助に對し、「共産主義と皇室とは両立せざるものに非ず」と諭したりと聞く。眞か？　否か？

米穀統制法、産菌處理法等無産階級的法案と銘打つもの全部不成立、現内閣や既存政黨に期待する事、愚の極みなりとは云へ彼等は共に同じ穴のムジナにしてもとより無産者の味方に非《あら》ざる事を確認し得たるをせめてもの収穫とすべし。無産階級よ。己を知るものは己のみ。

第十三号（昭和十年四月三十日）

ペテンとインチキで押通した議會もどうにか済んだので、岡田内閣は一枚看板の選擧粛正委員會の組織に着手する事になつたが、委員の顔觸れは地方の有力者中から選ぶとの事、昨日の選擧ボス（親分）が今日は粛正委員、これでは泥棒に留守番を頼むのと同じだ。後藤内相正氣か。

又しても性懲りもなく、床次を中心とする新政黨組織の噂が持上る。大衆諸君よ、新政黨と云ふ言葉に迷はされてはならぬ名稱は新しくとも集まる者は皆海山千年の古狸ばかりで、何《ど》れも資本家地主の手先となつて我々を欺瞞して搾壓しやうとする點では、政、民、國盟等既成政黨と異なる事なき敵對政黨なる事を知れ。

美濃部博士の逆説を以て一つの學説であるから、排撃等は失當だと云ふ徒輩がある。學説を是認すると云ふなら、往年天下を風靡したマルクス主義を何故權力により彈壓したか、要は學説と俗説とを問はず其の社會的影響を考慮して政治的に見ねばならぬ。随《したが》つて三十年來の學説が社會情勢の變遷によつて今日問題となつた處で何の不思議もないではないか。

去る二十八日吉野郡下市小学校で開かれた産業組合大會に來賓として列席した政友會の岩本、福井、民政黨の松尾各代議士が祝辭演説の際、今期議會に於ける彼等の反農民的行動を曝露され、彌次《やじ》り飛ばされて、スゴ〳〵降壇した有様は憐れにも又近頃以て痛快の限りであつたが、それよりも永年瞞《す》かされて來た農民が今こそ自覺して彼等ブル代議士に復讐的反抗を宣言するまでになつた事が何より嬉しい。三代議士よ。時世は變つて居るぞ、詣らぬ罰は當らぬものを、チト恥を知れ、喝！

第十四号（昭和十年五月十日）

現内閣の延命機關と評される内閣審議會委員の顔觸れ定まる擧國一致と銘打つだけに官僚

あり金融資本家あり、産業資本家の手先等々あるも勞働者農民其他被搾壓階級の代表者を除外したる所眞に擧國一致と言ふべし。

そんな機關で審議決定されると云ふ非常時國策と云ふヤツ、眞偽の程を知らず。之が契機となつて水野、望月の除名から延《ひ》いて政友會の大分裂となるべく目下黨内一大混亂中、ものは考へ方だ、どうせ來ない政權だ、烏合の多數より少數の精兵?主義で行先の知れて居る斷末魔の一イキリ暴れる方がアノ世への土産話にはなるぜ鈴木サン。

無爲無能、弱體蒟蒻《こんにゃく》内閣の手で突如右翼暴力團の検擧斷行さる、此奴等常に口に愛國を唱へ非違を敢行す、高等政策上これ等徒輩を庇護するかの如く見られて居た官憲にしては大出來と言ふべく、國體の明徵は先づ此の邊から。

ブルヂヨアの代辨者現内閣が勞働條件の向上を期して目下各般の調査中だと發表した、此の「猪から鐵砲」式計劃は何を意味するのか?ブルの欺瞞か?勞働者の無力か?

農村不況より來たる教員給料の不拂町村全國に六百、此の金額百萬圓、かくて一にも二にも教育の重責を負はされ、視學、校長市町村長、市町村會議員、地方有志と多くの小姑に○○さる。弱き者よ、汝の名は小學教員、眞の子弟教育の重要なるを自覺せる教育者は起つて教權確立と生活防衛のために闘へ!

第十五号（昭和十年六月十日）

諸般の全國の市會議長會議は最近の全國各都市政の腐敗堕落は普選による無産議員増加の結果議員素質の低下に原因するが故に、納税資格による級別制度を復活せよと決議した。其の亂暴專制、反動的なるは沙汰の限りであるが、之れは無産派の嚴重なる監視によつて昔日の如き自己の専恣を意に任せぬブルジョア議員連の悲鳴に外《ほか》ならぬ、是《これ》問ふに落ちずして語るに落ちるもの。

國策審議會を中心に政民聯携破棄さる、そんな事どちらでも同じぢやないか。

合法左翼と自稱する勞働組合全國協議會のオン大加藤勘十氏渡米す、一體アメリカくんだり迄何をしに行くのか。

かと思ふと同組合の重鎮愛知縣會議員山崎常吉クン、同組合の無理論を嘆じて國家主義へ轉向す、加藤クンたる者先づ足下を見るべし。

日本最大の勞働組合、全國勞働組合同盟と日本勞働總同盟との合同談、進む様な進まぬ様な、そんな個人の立場に拘泥したり又第二だ、第三だと句駄羅《くだら》ぬ事にグズ〳〵して居ないで宜しく我國の現状に眼を開け。

日本型ファシズムの研究批判に大勉強の社會科學者諸氏よ。更にその研究批判を進めて日本型ソシアリズムに及び、公式的小児病的自己研究にまで到達せられよ。功績大なるものあらん。

英國ではマクドナルドとボールドウィンが、呑氣さうに内閣のたらひ廻しをやつてゐる。隣の佛國では朝に成立した内閣が、夕には崩壊してゐる。英佛國民性の距離はドーバー海峡以上と知るべし、科學小児病者はその間に何メーターの相違があるか測つて見なさい。

第十六号（昭和十年六月三十日）

機關説の美濃部博士不敬罪で起訴と決定す。其程《それほど》の問題を有耶無耶《うやむや》の裡《うら》に葬らんとした岡田内閣の政治上の責任はどうなる？

府縣議選期日の近づくにつれて選擧粛正の聲のみ漸く巷に喧し。政府の熱心？に比して國民大衆の氣乗薄き何故か、これ迄餘りにも多く政府のインチキに欺され過ぎて居るからだ。

宣伝上手の民政黨、早くも此れに迎合すべく神聖選擧聯盟の組織を提唱す。泥棒仲間の縄張協定を議するの類。

混亂動揺の政友會に本願寺の生草《なまぐさ》坊主大谷尊由を總裁に擔ぐ者あり、更生策のために非ず、斷末魔の引導を受けるため。

北満出征中に斃《たお》れたる宇智郡五條町大島出身の津森上等兵の町葬壯嚴に營まれる。両陛下より祭祀料、参謀長宮殿下より弔花を贈られ、遺族感泣す。陸軍又遺族の扶助に關し相當の考慮を拂ふ、軍事費の膨張を口實に○税の増加を免れんとする非國體ブルヂヨア共よ、其の使途内容を調べてから文句を言へ。

問題の帝人事件公判始まる、人権蹂躙の側面攻撃によつて事件を有耶無耶《うやむや》にせんと謀《たくら》むブル一流の奸策を看破して、適正なる裁判により司法の獨立性を示せ。裁判官よ、被告人よ、全國民よ、裁判は天皇の御名によるもの、過つて聖名を蔽ふ事勿れ。

其の帝人公判で臺灣銀行理事の高木〇〇訊問中臺銀更生を想起して泣き伏したとか、臺銀救濟資金のため重税を誅求される民衆が幾百萬人泣いて居る事か。

第十七号（昭和十年七月三十日）

部外の者にはよくわからぬが、軍部の中にも統制派だの正義派だのといふ派があるといふ。幕末時代、討論の張本ともいふべき長州藩にさへ、やはり俗論黨と正論黨があつた。誰が統制派で誰が正義派かは知らぬが、公武合體的勞資協調論が俗論であることに間違ひはない。

長州藩内を討幕派で統一するにも随分多くの犠牲を要した。

薩藩でも西郷吉之助等が身投げしたり、島へ流されたりした。

土州藩でもその通りで武市半平太が腹を切らされたり、その政敵の吉田東洋が暗殺されたり。

その他各藩ともに烈しい藩内闘争が行はれた。

その間にも、内外の客観的情勢は急テンポで進轉する。

そこで各自に轉向したり展開したり修正したり没落したりして各藩の大衆が討幕論にまとまる。

やがて薩長聯合、土肥加盟、「あれはブルヂヨア××せよの錦の御旗をしらないか、トコトンヤレ、トンヤレ」と云ふことには、斷じてならぬと誰が保證できるか。

軍部よ何處へ行く。官僚よ何處へ行く。農民、勞働者、大衆よ何處へ行く。

公武合體的勞資協調主義の俗論を克服して、打倒資本主義、高次的タカマノハラへ。

第十九号（昭和十年九月二十日）

宇陀郡三本松村の選擧粛正委員十餘名が選擧違反で検擧せられ村役場の仕事も一時休止のやむなきに到つた。實に彼等は身を以て粛正の効果を立證したのだ。

アワテて合圖前に出發線を飛び出す競争者のやうで、選擧前運動の違反には愛嬌があつて寧ろ興を添へる。眞の曲者はそんな愛嬌者ではない。

金の無い候補者が理想選擧を標榜せざるを得ないやうに、金の有る候補者も理想選擧を標榜せざるを得ない。と云ふ理由を考へてみたまへ。

家貧にして女給になり、男にだまされ子供を産み、男に逃げられ子に死なれた女給が、板場稼をするつもりで浴場へ來て、可愛他人の子供を見て可愛さから抱いて逃げた。

イタリーではエチオピア出征兵の暴動があつて死者六十名を出した。詳しい理由は判然としないが出征拒否であるそうだ。

英國に居るエチオピア公使マルチン氏は、イタリーがエチオピアを奴隷制度の國だといふ攻撃に挑戦して「イタリー人こそ完全に他人の意志に左右され思想行動の自由を奪はれたる憐れむべき國民であつてエチオピアの奴隷以上に自由解放の必要に迫られてゐる」と述べた。はだしで歩くから野蛮人で毒ガスを使ふから文明人だといふことは文明人の誇りではない。

昔、アテネの奴隷は他國の貧しい自由民からうらやまれた例もある。それはアテネの奴隷には立派な市民生活への道が開かれてゐるのに、他國の貧しい自由民には奴隷生活への道以外には開かれてゐなかつたからだ。

浄き一票を「マツリゴト」に捧げる「義務」を忘れるな。

一票を金に賣る權利など日本國民には無い筈だ。

「神」を「金」にかへるのが資本主義だから、金の化物みたいな變な神様だけが繁盛する。

農民や勞働者が、政友會や民政黨へ投票するのが普通選擧か。

投票人足權と「マツリゴト」への選擧權とは大ちがひだ。

旦那様によろしく政治をお願ひする程なら、普選もヘチマもない。

となりが政民だから、うちも政民だ。となりの悴《せがれ》が大學へ行くから、うちの悴も大學へやれるか。

第二十号（昭和十年十月二十日）

助役以下村會議員全部と村民四百名が選擧違反で起訴された村がある。團結にもよりけりだ。

エチオピア人にも感情はあるオドス奴に取られるよりもオダテルやつに取られたい。フウテンの伊國、相當にタンカもきれるし手も早いが、さすがに英國とはダンナだ。だがエチオピアには、いづれにしても前門の狼、後門の虎だ。

永田事件で切腹した大佐がある。忍んで生きて働いた方がよかつたと想ふが何うか。合掌。

國體明徴の再聲明、何故最初から明確にしなかつたか。

九月中に活動した満洲の匪賊四萬八千人、多くは食へぬからの職業だとは考へさせる。食を與《あた》へよ。然らずんば武器を與へよと満洲の貧農大衆は泣く、しかも隣がサヴエートだ。

昨年農民暴動のあつた依蘭縣では二十萬の人口が十一萬になり耕地は四割減、収穫は五割減。磐石縣では二十三萬の人口が十三萬に、収穫は十分の一になつた、貧農大衆よ何處へ行く。

北満春安鎮から大連へ送つた大豆の大連相場の六九％までが運賃、海倫から大連までの大豆一車の價格千圓その運賃千二百圓。

王道樂土の満洲は何處へ行《いっ》た匪賊につれて行かれたのでなければ、何處かの資本家について行かれたに相違ない。

満洲を王道樂土にするためには先づ日本に高次的タカマノハラを展開せよ。

第二十三号（昭和十一年〈一九三六〉一月二十日）

議會再開期日の切迫と共に解散非解散の想像とり〴〵、政民何《いず》れが多數を獲《え》ようと國民は早慶野球戰を見る程の關心も興味も持たぬ、只念ずる所は腐敗堕落の極致に達せる政黨へ政權の廻らぬ事。

非立憲、ファッショと攻撃される官僚内閣の手によつて却つて嘗ての内閣の企て及ばなかつたそして多數國民の希望であつた暴力團狩りや選擧肅正や脱税疑獄等の摘發さては不徹底乍《なが》ら農村救濟諸法案の提出等を見た、そして立憲政治家？共は樣々の口實の下に其の何れにも反對して居る、之では民衆の認識は混亂する。

數年前の議會で政友會が多數を恃んで現在の選擧法を改惡して無産派の進出を妨害しようとした時に無産派が非立憲的存在なりと叫んで廢止運動をして居た貴族院の「審議未了」と言ふ理由で助つた事があつた、皮肉にも現在の所謂立憲政治と我國情とは丁か半か。

如何に疑獄流行時代とは言へ富豪巨商の脱税は憎んでも餘りある、此の反面に中小商工業者が誅求されて居る事を想ふ時彼等に課するに極刑嚴罰を以てしても尚憚らぬものがある、一刀両斷以て醜類根絶の道なきか、一小税吏の犯罪に到つては一片同情の餘地あり。

軍需景氣でしこたま儲け乍ら軍事費膨張に反對するのも此等の輩だ一層ロシアへでも追放して了へ。

國體明徴に對する軍部の態度は怎《ど》うした事か、軍事豫算さへ獲れゝばそれでよいとでも言ふのか、もしそれそんな不純な考が毫末でもあるなら其の事自體が何より國體冒瀆である、軍部諸公健在なりや。

満洲事變費審議に参與した、と言ふだけの理由で各代議士に勲四等が下賜された、數年以前は黄金で賣買された、今年は相場もガタ下りか。

政治疑獄の和歌山市會に解散を命ぜらる、お次に首の座に直る者大阪府會との定評、其の次は何處か、政黨政治の斷末魔哀れにも亦痛快。

大阪府會疑獄の副産物として五年以前の公金紛失事件の眞相が曝露され冤罪に泣き續けた観音寺某氏漸く朗か、眞犯人が判明して居乍ら政黨幹部の運動により之が検擧をなさず強《しい》て良民に冤罪を被せて警察の面目を保持して居たと言ふに到つては正に沙汰の限り、政黨政治の弊此所に於いて極ると言ふべく實に國を滅ぼす者は政黨なり。

建國二千六百年の記念事業計劃せらる、外來ローマ法的非國體的資本主義を打倒して肇國高天原の政治經濟組織を高次的に顕現せしめよ、之を措いて他に記念事業斷じてある事なし。

日本勞働總同盟と全國勞働組合同盟と合同し日本最大の勞働組合と稱する全日本勞働總同盟の生れたるはよし、然し依然として指導精神の國際主義的なるは認識不足も甚だし、眞正日本主義の研究を徹底せよ、勞働組合に人なきか。

國家主義を奉ずる者は前から反動フアッシヨとけなしつけて獨り快哉を叫ぶ輩《やから》よ現下産業界に於て勇敢にストライキを以て資本家と抗爭を續けつゝある者實に日本主義勞働組合ある

のみ、國際主義勞働組合とは國内にてはストライキをせぬ組合なりや。

社會大衆黨の年次大會開かる、本年は型を破つて總選擧對策だけを主要議題として一日だけ開催する由、昨○地方選擧の後を享けて其の動向を注視されつゝあるが、社會民主主義的選擧黨に堕せずんば幸ひなり。

第二十六号（昭和十一年六月二十日）

今次の議會でブル政黨の代表者齊藤隆夫は五一五事件責任者の處罰が輕かつたから又又二二六事件が起つたのだとわめく、ブル政治家よ資本家よ然らば安政の大獄によつて明治維新をソ止《し》出來なかつたのは何故かチト考へて物を言へ因を糺さずして果を論ずるは專制政治家の常だ、今にして三省せずば天譴《てんけん》到るを知れ。

それにしても奇怪なるは寺内陸相の應對振りだ、多くは言はぬ此の際默つて引込んで了へ。

選擧議會等の制度改正調査會設置に貴族院冷淡、先づこんなものからは調査を待つ迄もなく廢止する事だ。

齊藤岡田両内閣の延長たる現廣田内閣頻りに庶政一新を叫ぶ、その第一歩として先づ自ら總辭職せよ。

永田事件の相澤中佐死刑を宣告さる陛下の御名において、是非もなし、然し而し、鐵道、税務刑務所地方自治体に疑獄頻發これが現在日本の姿だ是國體明徵は資本主義機構打倒の必然を証するもの。

不穏文書取締法と言ふ法律が出來た立憲國と自稱する國にこんな不穏な法律は又とあるまい。

第二十八号（昭和十一年〈一九三六〉八月三十日）

嘗《かつ》ては皇農の事等《など》齒牙にかけずと豪語したる全農、皇農の發展強化に狼敗して之れが粉砕を指令す、他人の事より我足下を見よ。

ファッショ撃滅のためとあつて欧米流に人民戰線の確立を強調す、此の人民戰線右は民政黨の齊藤隆夫より左は加藤勘十迄プチブルから社會民主主義迄ズラリと顔を並べるものと思ひきや早くも合法左翼の加入問題でゴテル、之では先が思ひやられる
而《しか》もファッショ排撃の筈のこのセン〳〵我が日本主義を敵として居ると言ふに到つては色盲も甚しい、ファッショと日本主義の區別が判らぬ様では御話になりまへんぜ、モット〳〵勉強しなさい。

庶政一新とは何ですか？ハイそれは郵税の如き大衆税を増し金利を下げてブルジョアに低利で大金を貸附けて無産者を搾取させる事であります。

電力國營問題が癌となつて廣田内閣が倒れるとの豫想がある元老の鼻息如何で更迭して居たのと比べて政策で進退が決せられる様になつたのは確に一進歩と言へよう。

義務教育年限延長の計劃、表面的には眞《まこと》に結構だが卒業迄待ち切れず家業の手傳ひをさせねばならぬ家庭の事情を悠《ど》うするのか。

七十才の老婆が十二の孫に辻占を賣らせて糊口を凌んで居た所《ところ》児童虐待防止法で検擧された、餓死か牢獄か之れが貧乏人の宿命か。

第三十九号（昭和十二年〈一九三七〉七月二十日）

今の政黨は實に困つたものだ在るから仕方ないけれど無い方が餘程ましだ、とは近衛關白の嘗《かつ》ての述懐だ、それが一度組閣するや政務官の好餌を以て政黨に迎合せんとする其の心事唾棄すべし。

而も國民健康法案を續《めぐ》つて内相農相の意見對立、遂に首相の裁斷となるやマア〳〵で特別議會不提出と決定、如何にも長袖らしい裁定、彼の先祖は明治維新の際公武合體の俗論派であつた、流石《さすが》に血は爭へぬ。

總選擧で一躍三十餘名の代議士を獲《え》た社會大衆黨、先づ何人も知りたきは其の選擧費用の出所、三菱か、全國女郎屋組合か知らず、之を明かにすれば黨は潰れる、と某幹部自身の告白。

嘗ての滿洲事變を資本主義侵略戰爭と言つた社大、今次の北支事變には皇軍慰問團を現地に送るとか、滿洲、北支両事件の性質如何に相違するや。

何《いず》れにせよ此の擧措は良き事なるも、只社大の眞意に出でたるか否かが何人も抱く疑問。

北支の風雲急にして自稱愛國團體の○動續く、曰く赤露膺懲曰く暴支粉砕の演説會ビラ撒き等々、唯我獨尊的一人一黨主義者の行動に何の威力も壓力もありや、眞に祖國を想ふの念あらば小異を捨て大同團結、以て國論の統一に力《つと》めよ。

物價高騰による勞働爭議頻發す、非常時局の理由で勞働者を押へるが能ではない、ドサクサ紛れに暴利を貪る資本家を取締れ。

第四十一号（昭和十二年九月二十日）

今日の社大黨の指導精神が我國體に反し一日も存在を許せない事は真摯に國體を想ふ者の一致した観察であるが、彼等が標榜する無産黨としても既に存在の意義と價値が完全に消失して單なるブルジヨア的選擧黨に墜落して居る。

其好適例二三、場當り戰術が御得意の同黨は前期特別議會に電灯料二割以下決議案といふ際物《きわもの》を提出したが院外では何の闘爭もせず新聞宣傳のみで終り東方會からさへ嘲笑されて居る。小作《こさく》法案を提出したと思へば「日本の小作をして資本主義的經營をなさしめねばならぬ」と説明し彼等の常時口にする社會主義的經營とは言はぬ、自作農さへ維持出來ぬ現状を如何に観て御座るのか。

三反主義から四反主義に看板を塗り代へ「フアツシヨ反對」を削除して時局に媚びんとするあたり見てはおれぬ。社大黨の若衆よ判つたか自黨の正體がね。

これも大阪の社大黨、市會で暴行し検擧されたが陳謝で起訴猶豫になつた所最近又々府會で亂闘を演じ問題を起して居る相手異れど主一人、暴行と言へば毎も社大黨議員、時節柄痛棒を喰わす要はないか。

前號で社大黨の選擧費用の事を書いたら各方面から辯解やら反撥やらで騒ぎ出した。事は簡單だ、金の出所を明らかにせよそれが出來ねば百の辯解も効はない。

先頃有馬農相は現閣僚中には非常時向でない大臣か居るがこんな連中は此際辭めるがよいと語つて波紋を起したとの事だが大臣の大部分が非常時向《むき》ではないぞ。近衛首相如何。

九、「街頭新聞」創刊一周年記念（第二十号　昭和十年十月二十日）

高次的タカマノハラ展開を念願して資本主義と俗流日本主義に對立して

『マツリゴト』の確立による、『高次的タカマノハラ』の展開を念願して、本紙が生れてから早や一ヶ年になる。それで先號を一周年記念號とするつもりであつたが、地方選擧のためにやむなく本號にくりかへた。扠《さて》、本紙は一ヶ年間に果して何《ど》のやうな仕事をして來たか其《そ》れをかへりみることも、あながち無駄ではあるまい。

陸軍省新聞班の國防國策に就《つい》て

陸軍省新聞班では從來種々な宣傳用の小冊子を發行してゐたが、昨年十月に發行した『國防の本義と其の強化の提唱』ほど大きな反響を呼び起したものはない。それ程、この小冊子に書かれた主張は我國今日の實際に直接したものであつた。即ち一度《ひとたび》この小冊子が配布されるや我國の現支配階級たる資本家共とその政治家共は愕然として色を變へた。政友會、民政黨、貴族院内の頑迷者共は一齊に是に反對し、國家社會主義的であるからと云つて攻擊非難した。けれ共、是の主張は決して單なる國家社會主義的ではなく、皇道經濟的である。この事は彼等といへども知らぬ筈はないのだが、彼等は單に社會主義といふ言葉によつて直ちに國體に反する如く思はしめ、國民大衆をして其の賛否に迷はしめんが爲めの奸計である。だが、もし「社會主義」が「國體」に反するものなれば「資本主義」こそさらに「國體」に反するものだ。自由主義を本質とする資本主義の反國體性は到底も社會主義の比ではない。彼等はたゞ社會主義といふ言葉によつてプロレタリヤのロシアを支持し、資本主義といふ言葉によつてブルヂヨアのフランスを支持しない。そして更に彼等は我が國體の本質を見ることを避ける。彼等は、抽象的な天の道なる王道と、具體的な神ながらの道なる皇道との區別さへ、事實において辨《わきま》へてゐないやうだ。王道は單なる道德の上に立つものだが皇道は確たる制度の上に立つものだ、道德的である上に制度的なものだ。そして、しかもその制度自體が道德的なものである。王道は、と云ふよりも王道を支配するところの天は、如何なる社會的又は國家的の制度をも特定してゐないけれ共、皇道は、特定の社會的又は國家的の制度の上に確立してゐる。その制度とは、赤子思想と奉還思想を發生せしめたところの神土の制度である。封建制度の發展と共にあつて封建制度を貫き資本制度の展開中に資本制度を貫いて、それらの制度を超えた制度たるタカマノハラの遺制こそ實に社會的動物たる人類の忘れ難き思慕の故郷につゞく、神ながらの道ではなかつたか。日本の資本家共とその政治家共は、この國體の本質を忘れる故に、陸軍提唱の國防國策に反對し、ローマ法的資本主義經濟あるを知つて、皇道的奉還主義經濟あるを知らぬ。よつて彼等は反資本主義即ち反國體の如く云ひなして皇道的奉還經濟制を確立することによつて國防と產業を調和せしめんとする陸軍の主張に對して反對するのである。そして木によつて魚を求める如き現在の資本主義による國防と產業の調和論を主張する。彼等は發展期の資本主義と今日のそれとを區別しない。彼等は日本資本主義經濟が奉還主義經濟へ轉化すべき今日の實情に眼を閉ぢてゐるのだ。從つて本紙は陸軍の國防國策を正當なりとして每にその反對者に反對した。と共に、一方陸軍に對しても「日本陸軍は必ずイタリーのファシズム、ドイツのナチズムを斥け、ロシアのソヴエートを超えて、世界文化の最高峰、同胞愛と奉還財の理想鄉、高次的タカマノハラまで進むべき」を主張し「皇道宣布とは神ながらの道の政治的具體化なり」とし「皇軍當局よ、豐葦原瑞穗の國の現實を直視せよ果して皇道は宣布されつゝありや」を問ひ來《きた》つた。更に本紙は此問題に就て農民大衆に叫びつゞけた。農民大衆は殆ど此問題については知らないかのやうだ。それはこの小冊子を手にする者の多くは地主であり資本家であつて資本主義的生活に滿足してゐるからだ。そして彼等の或者は軍人であつたにしても彼等は結局資本主義的軍人であつて奉還經濟を理解し得ない。だから彼等の個人的な安易な生活を、動搖せしめる如き反資本主義的主張を宣傳しやうとはしない。陸軍當局が眞に速にその國防國策を實現せんとせば直接農民大衆に知らしめる方法をとるべきである。素朴にして貧困せる農民大衆は歡呼してそれに應ずるであらう。勿論本紙は、その實現は勤勞國民大衆の任務として主張しつゞけた。

政治的岐路に立つ産組運動に就て

六十七議會に於て、資本主義諸政黨は、農民大衆の要望を無視して、繭、米、肥料に關する三法案の通過に反對して、二十五日間も引き止めて揉みくだき骨抜きにして、閉會一日に迫つて貴族院へ回した。勿論、三法案は握りつぶしである。その間にあつて農村關係の諸團體即ち帝國農會、或は産業組合等は三法案通過に反對の商權擁護聯盟等と對立して相當な院外運動をやつたが結局は駄目だつた。ことに産組は從來相當に政治的勢力を持つてゐるものと見られてゐただけに其の無力を露骨に見せた。その八方美人的各黨利用主義の無力さを遺憾なく曝露して組合員大衆を失望させた。然し乍ら、それは寧ろ當然である。現在の如き農村ブルヂヨアに支配される産組が、三法案通過のためにそれに反對する政友民政、等のブル政黨に政治的壓力を加へ得るかの如く想ふことが根本的な誤謬である。従つてその意味に於て産組は政治的に無力であつたのではなく、反《かえ》つて有力なのだ。農村ブルヂヨアに支配される産組の政治的勢力が如何に有力であるかと云ふことを六十七議會を通じて農村勤勞大衆は明確に認識すべきだ。従つて、産組の政治勢力が無力であつたのではない。産組に於ける農村ブルの政治勢力が有力であり産組に於ける農民（勤勞農民）大衆の政治勢力が無力であつたのだ。よつて本紙はかねてより國家社會主義的經濟機構の基礎單位として、農村產組を展開すべきことを力說し、その正當なる政治的方向を指示して來たのである。產組が眞に勤勞農民大衆の產組となるにあらざれば決して正當な意味に於ける產組の政治的勢力は發輝されるものではない。もし、既に產組が勤勞農民によつて指導されてゐたなれば六十七議會に際してもその院外運動は必ずや政友、民政等のブル政黨に強大な壓力を加へ、もつて三法案を通過せしめたであらう。然るに、眞に農民大衆を政治的に動員せずして、お座なり的なお上品な申譯《もうしわけ》的な幹部芝居としてブル政黨に對立したその勇姿は實に子供ダマしにもならぬ正體曝露であつた。その運動の何處に眞劍さがあつたかを米穀商組合の運動等と對比して見れば實に眞偽の明白なるに文句の附けやうもあるまい。地方によつては產組の幹部は絶對に既成政黨を離れるべしとの主張さへあるやうだが、勿論それもよい方法ではあるが、更に本紙は、產組を農村ブルヂヨアの手より引き離せと主張するものだ。因《よ》つて本紙は每《つね》に國家社會主義的政治方針によつて產組の政治的展開をなすべきことを力說し、更に金融ブルヂヨアの護衛隊として農村フアツシヨたらんとする危險性をも警告し來つた。產組は、と云ふよりも產組の主體たるべき勤勞農民大衆は產組をもつて單なる地方の中小商人との對立組織を見ずに產組の眞實の敵が金融ブルヂヨアジーなることを明白に認識すべきだ。かくてこそ我國の農村產組は皇道經濟の基礎單位となる爲《た》めにフアシズムの浪を超えて展開轉化することが出來る。實《げ》に本紙はかくの如く政治的岐路に立てる產組運動に就て主張し來つた。従つて本紙は産組の中央指導部が現にとりつゝある政治的不黨的態度にあながちに反對するものではないが更に一歩進め得ざるを遺憾とし、更に組織の基礎大衆の中より強大なる政治勢力の湧出することを切望するものだ。

昭和維新への進轉歩　國體明徴に就て

美濃部博士の學説が我國體と相容れざるは今日に始まつた問題にあらず、本紙はもとよりこれを豫想しつゝ「高次的タカマノハラ」展開を念願し「マツリゴト」の確立さるべきを力説して來た。本紙が毎《つね》に單なる國家主義にあらずして國體主義なりと明白に主張し來《きた》れるはその故に他ならぬ。本紙が毎に陛下の萬歳を大書しつゝ帝國の萬歳を敢てすることを止《とど》め來りしはその故に他ならぬ。愛讀者諸氏は本紙が何故に「高次的タカマノハラ」展開を力説し來れるかを理解せられ度《た》い。人類社會の最も自然にして純朴なる生活たる「神ながらの道」こそ我國體の本質である。從つて、この○を第二義とする一切の學説、機構、文化に對して本紙は反對する。本紙は單に美濃部學説に反對してその學説の社會的基礎をなす自由主義的資本主義經濟に反對し得ない一切の皮相的政略的似而非《えせ》國體明徴論者に反對する。美濃部學説排撃は勿論乍ら眞に國體明徴を○するならば進むでローマ法的所有観念を排撃し、資生産業に對する人類最高の意識たる奉還思想を徹底せしめよ。しかして「マツリゴト」を確立し「高次的タカマノハラ」を展開せよと本紙は主張する。從つて政友會の國體明徴、岡田内閣の國體明徴に對しては苦○以上の態度を以て臨むものだ。選擧粛正運動に對しても亦本紙は國體明徵問題と密接なる關係を以て説明する。聖事「マツリゴト」を翼賛し其の完成を念願するための選擧權が、今日の如く俗中の俗悪事とせられ、所謂泥水家○者なる政治家共に左右せられんとするは黙視し得ざるところだ。從つて選擧粛正は國體明徵の念願なくしては斷じて爲《な》し得ないのみならず、國體明徵の念願なき選擧粛正は寧ろ利己的○○に陥落して政界の○○を○○○する悪結果さへ豫想される。政治を聖事として眞に「マツリゴト」に對してこそ選擧は粛正せられるであらうが、ブルヂヨア的自由主義に立つて何の「マツリゴト」ぞ。赤子思想と奉還思想を理解せずして如何にして「マツリゴト」を理解し得るぞ「マツリゴト」を理解せずして何の選擧を粛正するや、まことに心もとなき次第と云ふべきだ。さあれ本紙は當然當面すべき問題に當面せるものとして美濃部學説に對し、更に國體明徵問題に對し、しかして是《これ》を昭和維新への急轉歩として觀察する。然《しか》り。國體明徵問題こそまさしく昭和維新への急轉歩であり必然の行路である。眞の國體明徵は「神ながらの道」を第二義とする一切の學説機構、文化を排除せざれば達成せられない。從つてこれの實践は即ち昭和維新の斷行である。空想的觀念的俗流日本主義に抵觸するものはいざ知らず、眞に「神ながらの道」を信仰する國體主義の徒は、まさしく「マツリゴト」の確立による「高次的タカマノハラ」展開を念願し其の爲に精進せられんことを毎に本紙は希望して來た。

概略以上の如く本紙は過去一年間の重要問題に就ても明白なる主張をなして來たが、地方的な小問題に關しても毎に如上《じょじょう》の主張を浸透せしめることを怠らなかつた。然し乍ら、その間にあつて本紙は亦毎にファッショ新聞とも呼ばれて來た。勿論、本紙の主張の何處に金融ブルヂョアの戰闘奴隷としてのファシズムが主張されてゐるかを自らは知らぬ。従つて今後といへども敢てファッショに非ずとの辯明をしないのみか、寧ろ所謂日本型ファッショとして行進せんとさへするものだ。

昭和維新への急轉歩の秋《とき》、愛讀者諸氏の眞摯なる御支持に感謝し倍舊の御支持を念願する。

参考文献・引用文献

「街頭新聞」街頭新聞社
『国家社会主義』大日本国家社会主義協会
『新勢力』新勢力社
『轉向者の思想と生活』小林杜人編著、大道社、昭和十年
『右翼民族派総覧』猪野健治編、二十一世紀書院、平成三年
『最新右翼辞典』掘幸雄著、柏書房、平成十八年
『西光万吉』師岡佑行著、清水書院、平成四年

杉本延博（すぎもと　のぶひろ）

昭和46年、奈良県生まれ。

奈良県御所市議会議員（無所属）平成20年初当選、現在4期目。

『不二』『国体文化』『伝統と革新』『やまと新聞』『維新と興亜』などの各誌紙に執筆多数あり。政治、思想、歴史に関するテーマで各地で講演も行っている。

著書に『御歴代天皇の詔勅謹解』（展転社）がある。

国家社会主義とは何か
「街頭新聞」の思想を読む

令和三年四月二十九日　第一刷発行

著　者　杉本　延博
発行人　荒岩　宏奨
発　行　展　転　社

〒101-0051 東京都千代田区神田神保町2-46-402
ＴＥＬ　〇三（五三一四）九四七〇
ＦＡＸ　〇三（五三一四）九四八〇
振替〇〇一四〇―六―七九九九二

印刷製本　中央精版印刷

ISBN978-4-88656-521-1

てんでんBOOKS
[価格は税込]

御歴代天皇の詔勅謹解　杉本延博
●大和で生まれ育つた著者が、みことのりの再興を世に提起し、御歴代天皇の詔勅を謹解する。
1650円

劇画 一つの戦史　高岩ヨシヒロ
●影山正治『一つの戦史』を劇画化！昭和初期、祖国に青春を捧げた若き維新者の神兵隊事件に至る闘争と恋の軌跡！
1980円

神武天皇論（抄）　橘孝三郎
●戦前の五・一五事件に参画した農本主義者・愛郷塾の橘孝三郎が、戦後に著した大作『神武天皇論』を抄録で復刊。
4400円

皇室を戴く社会主義　梅澤昇平
●天皇制廃止を主張する勢力とは異なる流れを追い、伝統と革新の共存と合体を模索。天皇制社会主義の可能性と教訓。
1430円

捏造と反日の館〝ウポポイ〟を斬る　的場光昭
●巨額の税金を投じて作られたウポポイ。その展示品はウソとデタラメばかりで、もはや反日の館である。
1650円

風に聴こゆる母の声　福永眞由美
●なしみや、ままならぬことこそが、人をはぐくみ深める。多くのかなしみ苦しみを越えて書かれたエッセイ。
1320円

日台運命共同体　浅野和生
●中国が強大化しつつある今、日台関係を深化させ、日台の安全保障協力の強化を図ることがきわめて重要である。
2090円

最終結論「邪馬台国」はここにある　長浜浩明
●長らく決着がつかなかった邪馬台国論争。文献と考古資料を根拠に、不毛な論争に終止符を打つ！
1540円